PLACE DE LA CONCORDE

LE PARIS
DE
ROBERT DOISNEAU
ET
MAX-POL FOUCHET

LE PARIS DE ROBERT DOISNEAU ET MAX-POL FOUCHET

Photos Robert DOISNEAU
Texte Max-Pol FOUCHET

MESSIDOR

47 RUE DE TURBIGC

ESTHÉTIQUE MÉ
H. BATAILL
ACH frères
TULLES
DENTELLES
ELNA
ARTS METIERS LIN
TAPIS · MOQUETTES · PAPIERS PEINTS · PEINT

94 RUE DE LA TOMBE-ISSOIRE

127 AVENUE JEAN-JAURÈS

C.I.C
CRE

VÉRITÉS PREMIÈRES POUR UN PRÉAMBULE

Nous courons, vous courez, ils courent.

Les premières images de ce livre illustrent le *présent* d'un même verbe. Les dernières aussi.

Le *présent* ? Nous en sommes donc là, *aujourd'hui* ? Toutes ces images, ou presque, montrent à qui veut bien les regarder et les regarder bien, ce que sont, du moins en certains moments, les humains dans la Ville.

Des poursuivis, des pourchassés, des traqués même. Les traqués d'un grand détraquement. Singulier cinéma. Au programme : la traversée de la place de la Concorde.

Ni les deux demoiselles courant de conserve, marathoniennes, ni la respectabilité d'un piéton à parapluie, le pardessus plein d'héroïsme, tout est perdu fors l'honneur, tirez les premiers messieurs les Anglais, nous vaincrons parce que nous sommes les plus forts, et ses ancêtres étaient à Reichshoffen, pas même ce couple, une jeune femme entraînant par la main son compagnon, comme s'il était timoré ou aveugle, petite Antigone d'un instant, son profil droit, la ligne à peine modulée des seins à ses jambes, sa jeunesse dure, — ni la beauté fortuite, ni le comique involontaire ne changent la « séquence » du film. Au premier plan, le corps, la chair, les os. Au second, les voitures, la tôle, les gros yeux morts des phares. Ici, le monde se divise ! Tous ces poursuivis, d'ailleurs, ont l'habitude de ces poursuites. A moins qu'ils ne préfigurent le terme d'une mutation en cours de l'espèce. Ce que sera le futur, nous verrons, d'autres verront... Le temps va si vite, on n'a plus le temps d'anticiper.

Tout de même, les personnages posés sur le quai de Delft par Jan Vermeer, ceux qui hantent les lucides perspectives de Saenredam, les hôtes agricoles de M. Corot, les banlieusards flâneurs d'Henri Rousseau, s'il leur était donné de connaître ces agités de l'asphalte, et s'ils sortaient de leurs cadres, ils croiraient assister à quelque fuite devant une invasion, à un égarement devant un péril, tenons-en le pari ! L'amusement de certains, pourtant menacés de calandres et de roues, les étonnerait plus encore. Ils crieraient à l'invraisemblable. Par chance ou malchance, les figures de la lenteur perdue ne parlent pas. Elles se contentent de nous regarder.

Le temps ne passe plus : il est déjà passé. Le regarder fuir avec l'eau dans le sablier des rives, voir s'élargir le jour de l'aube à midi, et de midi au soir mûrir, pour la soif des rêves, la nuit, appartient désormais au domaine de la fable. « Comment meurs-tu, Socrate ? » La belle réponse : « Lentement » est d'une langue toujours plus étrangère, comprise par de rares docteurs ès vie, dont il faudrait constituer des réserves, comme pour les espèces en voie de disparition. Vite, sans cesse plus vite. Vivons-nous ? Qu'on m'excuse : nous *vitons*. Qui donc l'ignore ? Chacun le sait, le dit. Personne ne freine.

Cet homme venait à ma rencontre, sans me voir.

Curieuse silhouette. D'une élégance à l'anglaise, avec un manteau du genre Philéas Fogg, un plaid sur les épaules, le feutre rejeté sur la nuque, de grosses lunettes. En marchant, il lisait.

Son livre, il le tenait de la main droite. De la gauche, il tournait une page, s'arrêtant à peine pour ce geste. Parvenu près de lui, je le reconnus. C'était l'un des grands écrivains de son époque. J'avais lu ses ouvrages avec ferveur, — ce dernier mot, il aimait à l'écrire, en apprendre la vertu à ses disciples. Allais-je interrompre sa lecture, sa déambulation, que je sentais l'une à l'autre liées ? Et briser cet unique mouvement des pas sur le sol, des yeux sur le papier ? Vif était mon désir de simplement lui avouer, au passage : je connais vos livres, je les estime, je vous admire... Puis partir sans attendre de réponse, en courant ! Il l'eût approuvé, sans doute, cet aveu. Si célèbre écrivain que l'on soit, tout assuré de sa gloire, le besoin est toujours là d'une preuve qu'on existe pour d'autres, et qu'elle n'est pas si complète qu'on le craint, la solitude d'écrire.

Je n'en fis rien. J'abandonnais à peine l'adolescence. Le promeneur glissait vers la vieillesse, frileux déjà comme le montraient son habillement, ses pas lents, précautionneux. Nous nous croisâmes, lui tout à sa lecture, moi tout à mes questions. Je fis demi-tour, décidai de le suivre, sans me manifester. Des passants s'écartaient devant lui, qui jamais ne se troublait de leur approche.

Nous parvînmes de la sorte à l'endroit où la rue Vaneau croise une autre artère. Avant de traverser, le lecteur s'assura, d'un bref mouvement de tête, qu'aucun véhicule ne venait de droite ou de gauche. Sur le trottoir opposé, il reprit sa lecture ambulante. Je m'arrêtai. Je vis sa silhouette s'amenuiser. Et bientôt disparut à mes yeux André Gide.

Ce souvenir, vieux de quarante ans, les « instantanés » de Robert Doisneau l'ont ressuscité, par contraste.

La race galopante, prise au miroir, compose une espèce de ballet dont beaucoup vont rire, et il y aurait de quoi, l'affolement ressemblant parfois à un jeu, à une poursuite renouvelée des lycées et collèges. Hélas, je serai sans doute l'un des rares à ne pas accepter d'un cœur léger ce spectacle, où je vois de l'inquiétude, de l'angoisse, de l'ennui. Drôle de ballet ou drôle de drame ? J'en tiens pour le dernier. Quoi qu'il en soit, la course de ces traverseurs de place a fait resurgir du passé le lecteur de la rue Vaneau, non tel un Lazare, mais plutôt, sans dramatiser, comme une statue du Commandeur. J'entends même son « Pentiti, scelerato ! », lancé à nous tous qui couchons avec toutes les minutes de rencontre, à la hussarde, à la sauvette, mais n'accordons plus guère de temps à l'amour, et moins encore d'amour au temps.

S'il est encore quelques rues assez calmes pour y lire en marchant, qui donc se permettrait, de nos jours, d'être indifférent à tous les passages cloutés, aux bandes de couleur sur la chaussée, à tous les signaux ?

Nos villes, les artères combles de mécaniques, sont elles-mêmes une machinerie, leur vieux cœur semblable à ces cœurs artificiels que doivent porter certains malades s'ils veulent continuer de vivre. Le vert et le rouge, avec lesquels Vincent Van Gogh désirait, selon ses propres termes, « exprimer les terribles passions humaines », ne sont plus que des tons législatifs, régulateurs. Nous sommes pris dans un système d'autorisations et de refus. Le bâton du policier remplace la férule dont les vieux magisters frappaient les doigts de l'écolier bavard. Pauvres gamins que nous sommes, à tous âges ! La cour de récréation surveillée par des casques, nos courtes mutineries sous la pluie des grenades lacrymogènes, nos barricades d'une heure enfoncées, nivelées. « Paris qui n'est Paris qu'arrachant ses pavés », mais le bitume a remplacé les pavés. Nous sommes ainsi préparés, jour après jour, à tous les asservissements, à la raréfaction de l'air respirable, à l'étouffement des libertés.

Piranèse nous avait prévenus, le voyant.

Pendant quatre années, peu lointaines, se dressaient aux carrefours de la Ville, sur ses places, des poteaux patibulaires, rejetons de ces arbres sacrés où l'on fichait des glaives, lors des premiers cultes teutoniques. Ils portaient des pancartes terminées en flèche, qui renseignaient les troupes d'occupation sur les directions à prendre pour gagner leurs casernes, leurs administrations, d'autres villes sous leurs bottes. L'envahisseur y voyait sa gloire. Nous y lisions la tristesse, le crime, la honte.

Ces mâts à pancartes disparurent dans les flammes passagères de la libération.

Aujourd'hui, moins tragiques, certes, et non plus aux couleurs de la mort, d'autres signaux balisent la Cité, indicateurs des rues où il est permis d'engager les voitures, des voies à sens interdit, des tournants proscrits ou autorisés. Les lignes, sur ces panneaux, s'achèvent en pointes autoritaires. Des disques rouges sont frappés en blanc du « moins » prohibitif. De cet alphabet de la coercition, la civilisation mécanicienne, qui est nôtre, ne peut nier la nécessité, puisqu'elle transforme la ville en réseau de veines sclérosées où stagne souvent la boue des boîtes prétendument roulantes, et qu'un Chef d'État proclame, sans ciller, que toute cité se doit remodeler « en fonction de ses véhicules », dussent périr les derniers lieux de flânerie, les dernières rives pour les couples enlacés au long du fleuve. Sans les signaux dont nous parlons, la tôle emboutirait la tôle.

Sur une façade, dans une rue de la Ville, un architecte, sans doute épris de symboles, a placé, haut de trois étages, un ange. Averti de sa présence, je rendis visite au céleste personnage. L'ange regardait se traîner mètre par mètre les voitures. Impossible d'accomplir le miracle de fluidifier la circulation, comme Saint Janvier une fois l'an liquéfie son propre sang dans la sainte fiole où les Napolitains le conservent, s'il est satisfait de leur piété ! L'ange de la rue Turbigo m'a paru sourire. Non sans raison : personne ne le voyait, il était devenu invisible aux yeux des hommes, car ceux-ci, devait-il penser, ne sauraient être attentifs à la fois aux signaux de la terre et aux signes du ciel. Voilà qui simplifiait sa tâche.

L'algèbre impérative des signaux, nous ne la détruirons pas sans mésaventures, cela va de soi. Reste à savoir si nous ne serons pas détruits par elle, ou plutôt si nous ne lui abandonnons pas, en échange des services rendus, une part de nous-même, la meilleure, la plus irremplaçable : celle de la désobéissance. Qu'on le veuille ou non, nous sommes au temps de la grande obédience. Et voyez sa casuistique ! « Griller » un feu rouge, c'est risquer la mort, la nôtre, celle des autres. En toute conscience, il nous faut obéir, sous peine d'être victime ou assassin. Ainsi l'obéissance fait tache d'huile. Née d'une nécessité, d'un simple savoir-vivre en société, la voici qui gagne des régions essentielles, plus déterminantes de nous-même, et qu'à notre insu, l'insidieuse nous conduit un jour à défiler, extatiques, devant quelque idole.

La suite, vous la connaissez. De nouveaux signaux surgissent, qui ne règlent pas la seule circulation des voitures, mais celle du sang des autres.

N'ai-je pas enfourché de trop grands chevaux, avec une complaisance à l'Apocalypse ? Après tout, la traversée des rues de Paris n'est pas celle de la Mer Rouge, les « bagnoles » ne sont pas les chars de Pharaon ! Toutes ces images sont d'une corrida pour rire, sans mise à mort sauf exception, même si les mécaniques foncent du mufle et des quatre roues. Sans doute Robert Doisneau s'est-il accordé du plaisir à ce « montage », trop heureux de montrer une des comédies de la Ville, un « western » drolatique et touchant, pas davantage. C'est un tendre, pas un tragique. Vous pouvez le voir, ce petit film, dans la parenté de René Clair.

Pour moi, je n'y parviens pas, et de-ci de-là je songerais plutôt à Chaplin, celui des *Temps Modernes*, qui fait saigner le cœur avec des éclats de rire. Un boulon, le boulot; encore un boulon, encore le boulot; toujours un boulon, sans trève le boulot. A la chaîne. Des chaînes partout. Ici, des autos, cent autos, mille autos : il faut se faufiler, filer, courir. Le temps presse. Imaginez, pour rire, ce scandale : un piéton s'arrêtant au milieu de l'asphalte, en plein flot, au milieu des voitures, et ce qui s'ensuivrait : les insultes, la colère des conducteurs, les collisions en série, l'arrivée de la police, et les ambulances, l'hôpital, la fureur des journaux, l'action de la justice... Il y a des choses avec lesquelles on ne plaisante pas.

Dans ce livre les pages dites « de garde » présentent peut-être une sorte de « Commedia dell'Arte », mais pour les motifs exprimés plus haut, je les appellerais, ces pages, de « mise en garde ». Heureusement, celles du début comme celles de la fin enclosent, à la façon de parenthèses, un autre monde.

Attardé, hors du vent, peuplé de signes qui s'estompent, et n'exigent pas l'obéissance, ce monde ? Nous verrons. Peut-être sombre-t-il doucement, comme le *Titanic* au son des violons, dans la musique d'un vieux manège...

Raison de plus pour monter à bord sans tarder, tandis que les rats le fuient, et restent encore des hommes, avec des images à leur taille.

PARC MONCEAU, MONUMENT GUY DE MAUPASSANT

PARC MONCEAU, MONUMENT CHOPIN

QUAI DU LOUVRE, BUSTE DE RAFFEY

LUXEMBOURG, BUSTE DE STE-BEUVE

PARC MONCEAU, BUSTE D'ÉDOUARD PAILLERON

JARDINS DU GRAND PALAIS BUSTE D'ARMAND SILVESTRE

DIANE CHASSERESSE ET POLYTECHNICIENS AUX TUILERIES LE 14 JUILLET

LES NYMPHES DE MAILLOL, JARDINS DES TUILERIES

PONT DES ARTS

LOVE
MONA-LISA
LA JOCONDE

Pour elles, ces immobiles au cœur de la cité mouvante, il me faut avouer une sorte d'amitié, qui naquit souvent lors d'une première rencontre, comme si j'avais découvert sur leurs visages, dans leurs gestes, quelque complicité, un *air entendu*, et que vînt de là tout le prix de notre *relation*.

Une telle amitié se justifierait encore, s'il en était besoin, par d'autres motifs, et surtout par ce qu'elles prêtent, selon les heures, à l'ironie, à la mélancolie, à la sagesse.

Je m'explique : établies pour perpétuer une grandeur ou un fait, elles deviennent, pour la plupart d'entre elles, les monuments de l'inconstance. Leur opacité de pierre ou de bronze vire, jour après jour, à la transparence, telles ces photographies qui prennent d'abord des couleurs d'automne, puis pâlissent et entraînent dans leur effacement un aïeul à moustaches, un petit garçon en costume de dimanche, des jeunes mariés main dans la main et yeux dans les yeux, — les héros d'une heure.

Il s'agit, bien sûr, des statues de la Ville.

Au vrai, je ne prétends pas les connaître toutes, qui donc s'en vanterait, car nombre de quartiers me demeurent terre inconnue. (Combien me fit rêver naguère l'inscription *Terra incognita* des vieilles géographies ! Je l'écris toujours avec joie sur les plans de Paris, en plusieurs endroits, y trouvant une promesse de découvertes, un appel d'*erre*). Pour mes statues familières, en revanche, j'éprouve une affection tranquille et douce, et je n'en parle avec ironie que par pudeur. Qu'on se gausse de mon enfantillage ! Je leur dois trop pour ne pas dire ma reconnaissance.

Ce n'est pas la qualité de la statuaire qui me retient toujours. L'esthétique n'est pas seule en cause pour moi dans ce domaine. Je me hâte de le préciser, au risque de provoquer la réprobation. Certes, j'admire de Rude « La Marseillaise » haut cri pétrifié dans le tumulte et la fureur, justicière, sœur frénétique de la sereine « Liberté conduisant le peuple » peinte par Delacroix, et les « Quatre parties du Monde » de Carpeaux, avenue de l'Observatoire, tout comme les Maillol du Carrousel, sensuelles géantes à la chair drue, gorgées de sucs et de sèves, ou la « Silhouette au repos » de Moore, place Fontenoy. J'étais un enfant lorsque déjà me troublaient, sur la Fontaine des Innocents, les nymphes humides de Goujon, qui enchantèrent l'enfant Renoir, au point qu'il tenta, plus tard, de les ranimer sous son pinceau. Rodin, dressant son Balzac tel un bloc emprunté aux alignements magiques de Carnac, m'a toujours ouvert le monolithique et visionnaire monde de l'écrivain, mieux que les travaux des exégètes. Je multiplierais les exemples. Ce n'est pas le lieu. Notre objet est autre.

Tout crûment, j'éprouve un singulier plaisir à quelques statues ou monuments dont volontiers je blâmerais, sur un autre plan l'académique médiocrité, la farineuse éloquence, la suffisante insuffisance, le ridicule même. Encore une fois, voilà qui n'est pas en jeu. La Ville est un foyer. Le mauvais goût s'y éclaire souvent de curieuses lueurs, assez vives pour atteindre d'obscures régions de nous-même, et par de méchants simulacres réveiller des songes.

« Si je dis... qu'à Paris la statue d'Étienne Dolet, place Maubert, m'a toujours tout ensemble attiré et causé un insupportable malaise... »

Ce fragment d'une phrase d'André Breton, dans son admirable *Nadja*, ne cesse de se poursuivre en échos. J'y découvre l'expression de ce que je tente de cerner : le *pouvoir* de certaines statues, leur imprégnante et secrète action, par-delà les catégories du beau et du laid. De nouveau se rencontre, au tournant, l'inquiétant Convive de pierre. Mais on croise aussi, le hasard aidant, quelques bouffons à ne pas négliger, et fréquemment, par leur folie, de bon conseil.

Un monument, que l'on voit dans ce livre, fut l'un des séducteurs de mon enfance.

Il se trouve au parc Monceau, près duquel habitait une proche parente. Toute visite à celle-ci se prolongeait par une promenade et des jeux dans ce parc. Mon père, qui m'y conduisait, en aimait le décor, les fausses ruines des « fabriques », le style anglais du jardin, et surtout les statues. Il était de ceux qui, respectueux de la gloire juste, lisent les noms sur les socles. Reculant de quelques pas, il contemplait à distance les effigies, décidait de leur conformité, de leur ressemblance. Un jour, sa déférente culture me présenta un buste : « Le grand Guy de Maupassant », dit-il, sur un ton grave, comme s'il se découvrait devant le génie. « Le chantre de *notre* Normandie », ajouta-t-il, en Normand qu'il était, et fier de l'être ! « Plus tard, tu le liras ». Je crois encore l'entendre.

Le visage de M. Guy de Maupassant m'ennuyait. Je lui trouvais une ressemblance fâcheuse avec certain cousin de ma mère, contre lequel j'avais des griefs. Ce solennel militaire pénétrait dans Tananarive et Tamatave chaque fois qu'il venait nous voir, car il ne se lassait pas de raconter ses exploits coloniaux, et sans doute lui aurais-je pardonné son ressassement, fort attentif que j'étais aux noms exotiques, s'il n'avait eu l'habitude de me mettre sur ses genoux, de m'y faire sauter pour imiter une cavalcade à travers les plateaux désolés de l'Imérina, puis soudain d'écarter les jambes, ce qui provoquait ma chute sur le tapis et, de sa part, un rire, suivi de l'exclamation : « Un petit Hova par terre ! Un de plus ! Vive l'armée française ! » J'unissais, dans une même détestation, le cousin, M. Guy de Maupassant, et la cavalerie.

En revanche, sur le monument, une créature séduisait mes regards. Elle était assise sous le piédestal qui portait le buste du conteur. Confortablement, d'ailleurs, les jambes allongées, le bras gauche étendu et se terminant par un livre, un doigt de la main pour signet, et sous l'autre bras, qui soutenait la tête, le sculpteur — « M. Raoul Verlet », précisait mon père — avait glissé, délicate attention, un coussin.

Le regard de cette belle personne vaguait au loin, méditatif, heureux. Les plis de la robe flottaient en drapeau, symboliques, j'imagine, des tempêtes de l'inspiration, qui passaient du cerveau de l'écrivain aux étoffes et falbalas de son admiratrice, par une sorte d'osmose.

A quoi pensait-elle, cette liseuse à poitrine républicaine ? « Au livre de M. de Maupassant qu'elle est en train de lire », répondit mon père. « D'ailleurs, vois-tu, elle lit avec intelligence, cette dame, comme on doit lire, s'arrêtant quand il le faut, pour réfléchir et goûter ». En effet, elle était pour moi l'image même de la lecture, — et plus encore de la récompense promise aux hommes de plume. Je jurerais volontiers que cette image revint plus tard dans mes rêves, pour m'inviter à écrire. Ce fut ma première muse.

Dans le même parc, Frédéric Chopin donne inlassablement un récital. Sans doute interprète-t-il sa « Marche funèbre », si l'on en juge par le caractère désolé de l'auditrice effondrée contre son piano, porteuse d'un voile de deuil comme les pleureuses de Calabre. Je n'eus pas l'honneur d'être présenté par mon père à l'illustre Polonais. Craignait-il que tant de tristesse ne m'écartât à jamais de la musique, ou ma mémoire est-elle en défaut ? De toute façon, mon père préférait l'opéra et l'opéra-comique. J'eus donc droit, toujours dans le même parc, à contempler Ambroise Thomas, auquel Mignon, son héroïne, offrait des fleurs bien méritées, et surtout Charles Gounod, entouré de Marguerite, de Juliette et de Mireille. Cette polygamie sculpturale du compositeur de *Faust* me laissait de glace.

Nous nous en retournions. En marchant, mon père fredonnait « Connais-tu le pays où fleurit l'oranger » et « Gloire immortelle de nos Aïeux », en hommage aux deux compositeurs. Je ne songeais, moi, qu'à la dame de M. de Maupassant, et pour être plus libre de lui donner toute ma pensée, je précédais mon père de quelques pas. Il me fallait déjà, je le pressentais grâce aux statues, la solitude.

Celle des statues urbaines propose des jalons pour les parcours de la mélancolie.

A l'heure de l'inauguration, elles peuvent croire à la mémoire, à la gratitude, à la constance. Les discours, les gerbes cravatées de tricolore, les drapeaux, le concours des citadins, parfois un défilé martial ou quelque fanfare, leur promettent la pérennité. Elles s'entourent de déclarations, comme les momies de bandelettes, pour une longue traversée. Pas plus que les morts des cimetières, elles ne savent que les cérémonies allègent les vivants, les libèrent, ouvrent les portes de l'oubli.

Naïves ! Elles ne continueront de survivre qu'à la condition d'être des miracles de l'Art, et le sculpteur alors prend le pas sur ce qu'il représentait, — ou bien quand elles se prêtent aux temporaires fastes des commémorations, trompeuses épiphanies, décevantes farces.

Certes, des âmes sensibles déposent quelques fleurs au pied du monument d'un poète, des politiques ornent de bouquets intentionnels le destrier d'un héros national. Ce genre d'exceptions mis à part, mille autres statues de la ville ne seraient pas plus seules sur une lande, ni plus abandonnées dans un désert. Combien de marins, combien de capitaines, statufiés pour une éternité lointaine, dans l'horizon de l'oubli, dure et triste fortune, se sont évanouis !

Et combien d'inventeurs, de guérisseurs, de littérateurs, de libérateurs ! Il faut parodier le poète, si l'on veut rendre compte de ce vaste effacement, ou plutôt de ce passage de l'opaque à la transparence, dont nous parlions plus haut. La chance d'être admirées, choyées, voire brocardées, n'échoit qu'à des élues.

Les autres, innombrables, ne connaissent plus que le froid des hivers, la brûlure des étés, l'indifférence des foules. Que la gloire soit ainsi fragile, dérisoire même, c'est la simple leçon qu'elles perpétuent, l'urine des chiens sur la base de leur socle, cependant que la fiente des pigeons de la ville transforme le chef des notables en figures de cirque, risibles clowns de la gloire.

Qu'importe. Elles sont, malgré tout, les bornes où quelque souvenir s'amarre un instant, et si des amants ignorent leur raison d'être, du moins serventelles à leurs rendez-vous, comme elles offrent aux enfants du mercredi (autrefois : du jeudi !) des Alpes où grimper.

Qui navigue dans la Ville, les yeux ouverts, ne peut se passer de ces amers. Entre le flâneur et elles depuis longtemps se noue une complicité, précieuse tel un dernier sourire du destin.

Et que dire de ces autres instants où, dans la ville fermée sur son sommeil, à peine peuplée de chats et de rôdeurs, lorsque les rats glissent dans les caniveaux, elles marchent, accordées à son pas, *avec la nuit...*

*CINÉMA
LE COLORADO,
80 BD DE CLICHY*

MADAME ARTHUR AVEC PORTRAIT DE FRANÇOIS MITTERAND

Ira FURSTENBERG
William BERGER
Mauria POLI

ESPACE LUDIQUE, JARDIN DE LA VILLETTE

CABARET « L'ENFER », BOULEVARD DE CLICHY

FONTAINE ST-MICHEL

168 RUE MARCADET

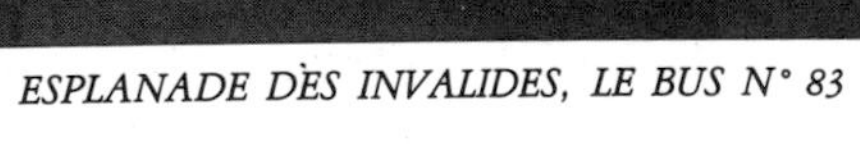

ESPLANADE DES INVALIDES, LE BUS N° 83

RUE DE L'ÉVANGILE

PLACE DU CARROUSEL

BASE DE LAMPADAIRE, PONT NEUF

ÉCOLE MILITAIRE « L'ARTILLERIE »

MAISON AUROUZE, 8 , RUE DES HALLES

Longtemps j'ai cru qu'à certaines heures de la nuit les villes dormaient.

Je me trompais. Si elles dorment, c'est d'un œil, comme les chats, toujours prêtes à se réveiller en quelque endroit. Des promenades nocturnes, comme j'en faisais autrefois, en toutes saisons, me montrèrent des cités presque nues. Il faut laisser disparaître les dernières foules, celles qui sortent des salles de spectacle, et partir au hasard, en n'obéissant plus qu'à l'appel d'un éclairage ou, tout au contraire, à l'attrait d'une ombre plus dense. Surtout ne pas se fixer un but précis, mais vaguer, errer, à la dérive, s'en remettre aux rues pour vous guider. Cet abandon de la volonté, si l'on y parvient, est l'un des plaisirs les plus riches en *possible*.

Les passants se font rares. Les voitures, de moins en moins nombreuses, filent en flèches. Les vitrines sont presque toutes éteintes. Il reste des publicités lumineuses, peu fréquentes, qui prennent alors un caractère pathétique d'inutilité, dans les voies désertées.

Naguère roulaient en silence, par couples, des agents à bicyclette, et leurs pèlerines, soulevées derrière eux par leur course, justifiaient leur surnom d'hirondelles. Ces « hirondelles » parfois se retournaient vers vous, avec suspicion : étiez-vous un rôdeur, quelque mauvais garçon, un escarpe guettant le bourgeois attardé ? Votre bonne tenue rassurait les policiers de la nuit. Ils continuaient leur ronde. Vous poursuiviez votre marche.

Dépourvue de son magma d'hommes et de machines, la ville est autre. Elle se tait, bien qu'il vous semble, à certains moments, percevoir un bruit sourd de rêves, comme une mer lointaine. Et justement, comme sur la mer, brillent les feux de position des navires, vert de tribord, rouge de babord. Ils s'inversent continûment dans une sorte de jeu, le rouge remplaçant le vert, celui-ci bientôt reprenant sa place, et l'on peut croire à une navigation folle, ou à ces lumières intermittentes qui balisent l'entrée des darses.

Devant ces feux, devant les « clignotants » des croisements, il m'est arrivé de demeurer longuement, m'abandonnant à une sorte de fascination. Manifestement, ils n'avaient plus le même sens que le jour, encore qu'ils dussent arrêter ou libérer des véhicules. La nuit transformait en gemmes aux éclats alternés ces signaux, pour ponctuer ses contes de mille et une nuits, lorsque reposent des millions de destins. Quand il a plu, ces lumières se prolongent, sur les pavés mouillés ou l'asphalte, en reflets. Traînes vertes ou rouges, soies fastueuses ou épanchements de sang, qui le saura jamais, et pourquoi savoir, puisqu'il suffit de *voir*.

La nuit des villes, je l'ai connue sur les plus diverses terres. Aux faubourgs de Rio, dans la lumière des réverbères, je vis glisser des serpents. Descendus des pentes couvertes par la forêt vierge, qui cernent la cité, ils pénétraient dans celle-ci, comme les redoutables symboles des vieux cultes chtoniens.

A Calcutta, dans la lueur maigre de quinquets, gisaient à même le sol des corps décharnés, tels des morts sur le champ de bataille de la misère et de la faim, et parfois l'un d'eux se détendait, pour montrer que toute vie n'était pas disparue.

Dans une rue de Papeete, un homme et une femme, jeunes tous deux, serraient entre leurs deux corps un réverbère, comme l'épée du roi Mark entre les deux amants tragiques.

A Mexico, sous des ampoules nues et suspendues par une corde au centre de la rue — (elles bougeaient avec le vent, des ombres se déplaçaient sur les murs) — avançaient des fantômes, les yeux luisant des fièvres étranges que donne l'abus de marihuana.

Dans Wall Street, abandonnée de ses manieurs d'argent, montaient et redescendaient, portées par les tourbillons des courants d'air entre les falaises de béton, les multiples feuilles des journaux abandonnés, cependant que des gardiens, dans leurs niches éclairées, veillaient, revolver à la ceinture, sur l'or de l'Amérique.

A La Havane, sous la lune chaude, des miliciennes de l'Armée Populaire tricotaient des layettes, une mitraillette près de leur chaise, à portée de la main contre toute attaque des parachutistes yankees.

Sur un boulevard de Rome, au pied de l'Aventin, des prostituées allumaient des feux de bois, non pour se réchauffer, mais pour attirer les clients, ainsi que faisaient jadis les pilleurs d'épaves, les naufrageurs sur les côtes, pour tromper les navires et les conduire droit aux récifs.

A Alger, dans la Casbah d'hier, le samedi soir, vers minuit, des soldats sénégalais cassaient les vitres des lanternes, le gaz s'éteignait, et ils se ruaient alors sur les hétaïres de la rue Cataroudjil, qui de jour se refusaient à eux.

Je n'en finirais pas de dire ce que j'ai pu voir dans les villes du monde, la nuit. Amateur de la nuit, je le suis, et même son amant, car j'ai partagé son lit, pour des images, pour des rencontres, — pour une seule rencontre peut-être, d'où dépendrait la vie ou la mort...

La nuit de Paris, plus que les autres, me tient au cœur. Trop de souvenirs la peuplent, et d'ombres familières. Une fois, dans l'aube encore ténébreuse de l'hiver, les hommes des services de nettoiement, passant avec leurs balais dans ma rue comme à l'accoutumée, levèrent les yeux vers ma fenêtre éclairée déjà, derrière laquelle je me tenais. Ils firent un geste de la main, une sorte de salut. Je répondis. Le lendemain, ils recommencèrent. Je les saluai de nouveau. Cela devint une habitude, un rite amical, jusqu'au moment où les jours commencèrent plus tôt. La nuit établit ainsi une complicité entre ceux qui la vivent.

Je me suis demandé souvent, lorsque je parcourais les plus vieilles rues, autour du Châtelet, si ne me dirigeait pas une terrible image : le corps de Nerval pendu, se balançant à quelque lanterne. Il parvenait ainsi à la dernière étape dans sa recherche vaine de la reine de Saba, — la légendaire, que d'ailleurs nous cherchons tous...

J'ai beaucoup parlé de la nuit, il me fallait confier ma passion, vous m'en excuserez. C'était, d'ailleurs, pour parler des *rencontres* qu'elle ménage. Le jour, certes, n'en propose pas moins. Il en offre même davantage, mais si nombreuses que nous courons le risque de ne pas les voir, dans l'agitation diurne de la ville.

La rencontre n'est pas seulement l'accord imprévu de deux vivants, dont les solitudes par fortuité soudain se répondent, s'accrochent, se reconnaissent des traits communs, une aptitude semblable devant les heures. Elle peut être la juxtaposition d'un homme et d'une image, hors de toute attente, telle qu'on aurait pu la croire impossible sans l'intervention du hasard, — ou le rapprochement de deux images qui se complètent en s'opposant, se lient par leurs antinomies, et donnent naissance à une autre réalité surprenante, révélatrice d'un rapport insoupçonné. Il en résulte, pour le témoin, un heurt, un éveil plutôt, à *autre chose*, d'un prix inestimable.

Que la rencontre émane d'un accord ou d'un contraste, il en surgit, comme de deux silex, une étincelle, dont il n'est pas abusif d'assurer qu'elle provoque une illumination vive, comparable à celle de l'éclair dévoilant un paysage dans l'obscurité, et laissant dans l'œil la marque lumineuse de son fouet.

La rencontre est pareille à la véritable image poétique : loin de réunir des termes semblables, elle conjoint des éléments dissemblables, avec un arbitraire qui se transforme en vérité. Elle n'est pas comparaison, mais réintégration. De là viennent son caractère de *saisissement*, cette *force d'évidence* qu'elle possède en soi, hors de toute logique habituelle, dans une logique supérieure et indiscutable.

La photographie justement permet de fixer de telles « rencontres », d'en apporter la preuve, du moins si elle est l'art d'un poète.

Regardons ce livre, nous en serons avertis. Qu'un policier soit « pris » à l'instant où il passe devant l'entrée d'un cabaret nommé « *L'Enfer* », et se découpe sur un rideau de tôle, au centre de la gueule ouverte d'un Léviathan à la denture vorace, et qu'ailleurs deux jeunes filles mangent avec gourmandise des pâtisseries devant la vitrine d'un fabricant de pièges à rats, toutes ces bêtes mortes pendues en frise derrière elles, ce sont là des « concours de circonstances » qui transforment la réalité en surréalité troublante. Nous en dirons autant de ce portrait de tireuse de cartes, lectrice d'avenir, *voyante*, qui porte à son cou les portraits d'un homme politique, alors ministre de l'Intérieur, comme un sorcier de brousse porte des grigris; de la fuite d'un enfant et de son chien basset, comme sous la menace d'un monstre de cauchemar, simple réclame pour un film; du comique qui résulte de la parenté de formes entre les ailes d'un dragon de bronze et l'enseigne d'un marchand de parapluies; d'une dame, également à parapluie, gardée, sous la pluie, par deux scaphandriers !... Ressemblances, dissemblances, situations logiques ou absurdes, concourent alors à ces *rencontres* déroutantes, où la Ville trouve l'une des expressions majeures de sa poésie.

« ... Beau comme la rencontre fortuite sur une table de dissection d'une machine à coudre et d'un parapluie ».

Cette célèbre phrase de Lautréamont, dans laquelle il dépeint Mervyn, héros des *Chants de Maldoror*, fut l'un des « mots de passe » qui ouvrirent aux écrivains du Surréalisme les portes de la Ville, les dirigèrent sur les voies du hasard objectif. Chacun de nous peut y trouver de quoi comprendre ou préciser certaines rencontres d'objets et d'images. Longtemps m'a rendu songeur le singulier contraste que font les murs désespérants qui bordent la rue dite « de l'Évangile », dominés par les squelettes de fer et les cuves d'une suite de gazomètres, avec l'oratoire en plein vent où s'abrite un Christ en croix. Même pour l'incroyant, la présence d'une figure de l'amour dans ce site sans amour provoque un sentiment qui conduit à un humour sombre, à un trouble inexprimable. Or, un élément de passage donne encore plus de résonance au « tableau » : une vitrine, montée sur camionnette, apporte là, soudain, des fantômes en robe de noces, des mannequins au geste suspendu, sous la réclame d'une entreprise dont le nom, *Lise Avril*, ajoute, par la fraîcheur qu'il suggère, un nouveau contraste dans la désolation poignante et risible de l'ensemble. Pour quelle fête nuptiale, ces mariées, dans un paysage qui exclut l'idée de fête ? Pour quel départ, cette élégante voyageuse sous verre, dont le geste semble appeler les lourds véhicules ouvriers ? Et quelle bénédiction peut donner ce Christ, parmi ces réservoirs, près de ces murailles sinistres, dans la solitude d'un lieu d'où l'humain paraît exclu ? C'est ici l'une de ces rencontres qui se poursuivent en harmoniques, en échos, jusqu'aux lointains de l'être.

Puissions-nous ne jamais marcher tels des aveugles dans la Cité, indifférents aux rencontres de la nuit et du jour – et comprendre, dans une autre image, l'attention qu'un viel homme porte à une tête d'animal mort... Tout est là, camarades ! Il se peut que les images soient douées de regard. Ne leur laissons pas ce privilège.

JARDINS DES TUILERIES « ENLÈVEMENT DE CYBÈLE »

MAIRIE DU 6e ARRT « CENTAURE »

PONT ALEXANDRE III

RUE
DU FAUBOURG
POISSONNIÈRE

MUSÉE DE L'ARMÉE

CANON D'ISABELLE LA CATHOLIQUE, INVALIDES

BOUTIQUE DE POSTICHES RUE DANIELLE CASANOVA

RUE ST-LOUIS-EN-L'ILE

« A quelle époque survint cette invasion ?

J'ai consulté maint livre d'Histoire, remué les archives, fouillé les annales. Inutile labeur ! Elle n'y figure pas et je ne sache pas que les meilleurs auteurs y fassent même la plus fugitive allusion. Me voici donc fondé à m'attribuer cette découverte.

Comment douterais-je, puisque les preuves sont dans notre ville ? Les envahisseurs, on le sait, laissent des traces de leur domination, celle-ci fût-elle temporaire. Lorsqu'ils repartent, des images, des pierres ouvrées témoignent de leur passage. Ceux dont je parle n'y manquèrent pas.

Ils durent venir de quelque Orient, proche ou lointain, passant par la Grèce ou Rome où ils récoltèrent des modèles, qu'ils unirent parfois aux leurs et reproduisirent en pays subjugué, sur ces bords de notre fleuve, sous notre ciel plus enclin aux nuances du gris qu'à l'éclat d'un azur impavide.

Le fait est là. Ces masques apeurants ou séduisants, projections de leurs croyances, toute marche dans nos rues les offre au regard. Vous m'accorderez qu'ils ne sont pas de nos terres et qu'ils y arrivèrent par suite de translations dans l'espace.

Des docteurs méfiants, inquiets de toute nouveauté, rejettent en se moquant mes convictions.

Pour eux, l'Histoire ne peut rien ignorer, rien oublier. Ils la tiennent pour une mémoire sans faille. Les invasions subies, disent-ils, sont bien connues. On n'ignore ni leurs causes, ni leurs effets et, d'après eux, elles furent assez nombreuses pour qu'il soit inutile d'en ajouter de nouvelles. Au plus admettent-ils des imitations de styles exotiques, des influences voyageuses. L'adroite esquive ! Comme si l'imitation, d'abord, n'était pas une forme d'invasion ! Ont-ils jamais considéré quelque caméléon sur une feuille ? S'il devient d'un si beau vert, c'est que la feuille l'envahit.

Je ne puis, pour ma part, me contenter de leurs à peu près, de ce qu'ils me concèdent et appellent *la part du fou.*

Mordicus, je soutiens ma thèse. Des peuples lointains occupèrent notre ville, à une époque pas encore déterminée, peut-être à plusieurs reprises, et peu me chaut que les archives n'en témoignent pas.

Historien de formation, mes diplômes en faisant foi, mon enseignement *ex cathedra* reconnu pour des plus avertis, je suis à même de connaître les lacunes de l'Histoire, ses larges vides. Nul goût de la continuité n'autorise à les nier. Je ne permets pas de combler l'un d'eux à la légère. Les esprits impartiaux, s'il en est beaucoup en ce domaine, le reconnaîtront.

L'argument majeur de mes critiques repose sur le constat que ces figures étrangères, dont plus haut je parlais de manière non exhaustive, sont présentement incluses dans des bâtiments de date récente, certains même élevés de nos jours, et qu'elles manquent de cette patine à quoi se découvre l'ancienneté. A écouter mes opposants, j'ai vérifié la justesse de l'adage populaire : qui veut trop prouver ne prouve rien. Pour cette raison, d'ailleurs, je me garderai d'écraser mes lecteurs sous le poids d'arguments innombrables. Simplement, je répondrai que c'est chose courante, en archéologie, de trouver des éléments anciens insérés et *rajeunis* dans des constructions postérieures. L'homme fait feu de tout bois et maison de toute pierre.

Dans le cas qui nous intéresse, comme en d'autres, cela se nomme le *réemploi*. Ainsi suis-je prêt à montrer, dans les campagnes où je me rends souvent, des fermes paysannes dont les cours furent pavées avec les dalles de vieilles voies romaines qui traversaient la région, et il ne faut pas être grand clerc pour y découvrir les traces de roues des chars antiques, l'usure provoquée par le passage des légions, sous les bouses du bétail et les fientes des gallinacés.

L'injure ne sera pas faite à mes censeurs de les croire ignorants d'un tel procédé. Nombre d'entre eux l'ont étudié dans leurs mémoires et travaux érudits. De là s'accroît mon étonnement de les voir charger si furieusement contre ma thèse, la traiter de billevesée, l'étouffer sous des documents en épais matelas, comme on fit pour les enfants d'Édouard, et comme procéda le More pour occire l'innocente Desdémone.

Dans les reliefs et sculptures qui ornent nos immeubles, ils s'entêtent à ne découvrir que la fantaisie, l'imagination, la culture d'architectes contemporains ou des tout derniers siècles. D'après eux, nos bâtisseurs, ayant appris à l'École les styles de jadis, auraient voulu, par ces figures surajoutées, démontrer qu'ils n'étaient pas des ignares et possédaient leur histoire de l'Art sur le bout des doigts.

Voilà donc nos maîtres d'œuvre rabaissés au rang de copieurs sans invention, de plagiaires astucieux ! Mes adversaires sont-ils conscients du tort qu'ils portent à notre génie national, si jalousé, à juste titre, des autres peuples ? J'en souffre dans ma qualité de fervent patriote. Alors que la ré-utilisation des fragments les plus louables de monuments élevés par l'envahisseur, tombés en ruine après nos guerres de Libération, montre sans conteste la vertu d'accueil des patries fortes. *Graecia capta...* La Grèce vaincue conquit son farouche vainqueur. De même fit notre pays, qui ne plie sous le sort contraire que pour plus glorieusement se redresser.

Sans vouloir verser dans la technicité, hors de ma compétence, je l'avoue, je ne puis moins faire pourtant que d'attirer l'attention sur certains détails matériels par lesquels se confirme ma thèse du réemploi. Mes opposants m'expliqueront-ils l'abondance des Cariatides dans l'architecture de notre cité ? Je les attends ici. Ces gracieuses figures avaient, chez les Anciens, un rôle d'importance : elles soutenaient quelque toit ou quelque avancée du bâtiment. Voyez, sur l'Acropole, l'Erechteion. A ces piliers, les sculpteurs conféraient les formes aimables du corps féminin, la noblesse des draperies, le calme d'un visage exprimant la confiance dans la solidité de l'édifice et la permanence de la vie. Ainsi, l'agréable rejoignait l'utile. Or, de nos jours, et déjà depuis longtemps, la nécessité de tels soutiens ne s'impose plus, eu égard aux progrès de la construction, aux savants calculs de nos constructeurs, aux nouveaux matériaux dont ils se servent. En d'autres termes, la Cariatide, devant les progrès de l'art et de la science, est un luxe superfétatoire. Puisque l'architecture est un art de la rigueur et des nobles volumes, nul n'oserait penser que nos architectes y contredisent par l'insertion de ces mannequins inutiles et, de surcroît, empruntés, sinon chipés à d'autres. Si la Cariatide soutient encore quoi que ce soit, c'est ma thèse. Elle vient à mon aide, en se montrant telle qu'elle est : un vestige des anciennes constructions de nos envahisseurs, introduit dans les nouvelles par un souci de muséographie, et pour exalter nos victoires sur l'étranger.

De semblable façon, il me plairait que mes censeurs m'expliquassent la présence des reliefs formidables (au sens étymologique de l'adjectif) sur les portes cochères, les balcons, les voûtes. Telle face de pierre évoque celle de la Méduse, dont les cheveux furent, on le sait, transformés en odieux reptiles par la colère de Minerve, et l'on peut y voir sa terreur devant le glaive décollateur de Persée. Que vient-elle faire ici ? On imagine mal que les décorateurs l'ont placée là pour terroriser de paisibles citadins. De telles incongruités sont fréquentes sur nos façades, sur les pieds de nos réverbères, dans la fonte des piédestaux. Elles m'assurent que nous fûmes envahis, à des dates indéterminées, par des peuples surgis d'horizons divers, qui laissèrent, en se retirant, ces images, comme la mer dans son reflux abandonne sur les grèves des crustacés et des astéries.

Ma thèse, on le constate, est des mieux établies, mais elle dérange les habitudes acquises. Certains, pour l'écarter et sauver la connaissance traditionnelle, crient à la Poésie. Ils tiennent mes idées pour celles d'un lyrique, les accusent d'être nées de la lyre, non des livres. Je n'en suis aucunement fâché.

Outre que Descartes lui-même, si souvent invoqué par l'adversaire, reconnaît ses pouvoirs incomparables, la Poésie est le plus sûr instrument de découverte, puisque son exercice ramène à la lumière ce qui se cachait dans l'ombre. Quitte à prêter le flanc à l'ironie, je confesse son rôle dans ma découverte. D'elle je reçus la vision première de ces invasions inconnues, de l'établissement sur nos rives de leurs édifices en l'honneur de leurs mythologies, puis de leur retraite, enfin de la construction de nouveaux édifices à partir des ruines abandonnées, et de l'insertion de leurs symboles de pierre ou de bronze dans nos propres monuments.

Justice me sera rendue, tôt ou tard. Pour l'instant, qu'il vous suffise de regarder et dénombrer ces faunes, ces chimères, ces gorgones, ces dauphins d'Arion, ces hippogriffes, ces centaures, ces nymphes, ces naïades, ces dryades et hamadryades, ces nobles chefs de divinités barbues. Tout esprit non prévenu, dans la moindre promenade au sein de la Ville, penchera de mon côté, reconnaissant, pour les progrès du savoir, la nécessaire alliance de l'Histoire et de la Poésie ».

NOTE DE L'AUTEUR : Alors que nous préparions ce livre, le bruit s'en étant répandu, nous reçûmes le texte qu'on vient de lire.

Son importance nous parut assez grande pour mériter une publication. Nous aurions aimé prononcer le nom de l'auteur, mais sa modestie, caractéristique des vrais chercheurs, s'y opposa. Il suffit de savoir que cette communication émane d'un savant célèbre par ses travaux et ses découvertes, respecté même par les plus acharnés de ses contradicteurs. Nous nous sommes interdits d'y changer un mot ou de l'abréger d'une seule ligne.

AVENUE LEDRU-ROLLIN

VITRINE DES GALERIES LAFAYETTE

RÉSERVE DU MAGASIN PIERRE IMANS

HÔTEL RUE MOUFFETARD

HÔTEL FIEUBET, 2 QUAI DES CÉLESTINS

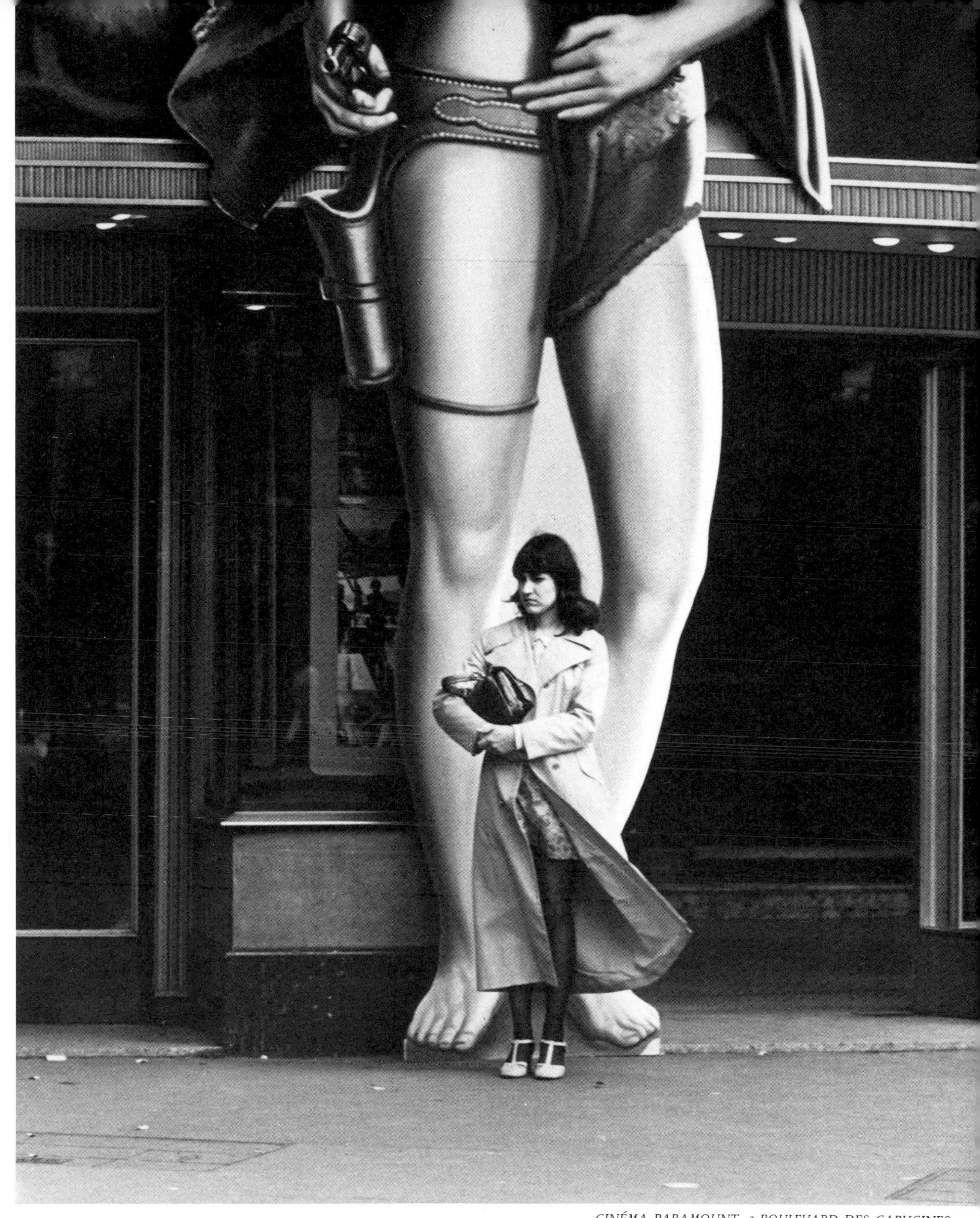

CINÉMA PARAMOUNT, 2 BOULEVARD DES CAPUCINES

Dans la cité, d'autres images vivent.

Celles-ci n'ont pas l'ambition de persister. Ni de rien perpétuer. Passagères, elles durent le temps d'une invitation, d'un appel. Voudrait-on les voir s'attarder, elles se détacheraient de leurs carcasses, quelques pluies auraient raison d'elles. Nées du spectacle, faites pour y convier, elles meurent quand il s'achève.

C'est pour renaître, nous le verrons, mais sous de nouveaux aspects, masques transparents d'une actualité éternelle.

Jadis, dans les livres de *Très Riches Heures* les saisons se reflétaient et les travaux de la terre selon chacune, et plus encore, sur le devant de la scène, les chasses et tournois, les fêtes des seigneurs, les divertissements de la guerre. Le Prince y pouvait mesurer sa force à l'erreur voulue de la perspective : son château à l'horizon, que l'éloignement aurait dû réduire, était agrandi par l'enlumineur, comme si remparts et donjons devaient manifester une puissance non soumise à la distance, toujours proche, sans recul. De ces livres n'existait qu'un exemplaire. Il appartenait au Maître.

Aujourd'hui, la Ville propose à ses foules des images plus dures, massives, autoritaires à leur façon.

Faites pour être vues de tous, de loin, dans l'instant. Le mot de « publicité », qui caractérise leur ordre, ne permet aucune ambiguïté : ces images seront publiques, sans réserve. Offertes à tous, même si tous ne peuvent acquérir ce qu'elles vantent, ni assister à ce qu'elles prônent.

Voici donc, sur nos chemins citadins, un chant de sirènes, contre lequel aucune cire ne protège. Le temps des appeaux : le nôtre. La cité offre son livre de Très Riches Leurres.

Faut-il déclarer qu'aujourd'hui Circé se nomme Ciné ? Ce serait généraliser le non-généralisable. Les « salles obscures » (définition ou métaphore ?) ressemblent à la caverne du philosophe : des ombres s'y meuvent, que d'aucuns tiennent pour des réalités, les autres pour des phantasmes. Quant à nous, dans ces phantasmes nous trouvons des réalités.

Souvent nous surprit, il est vrai, la manière dont certains, quand nous les suivions, pénétraient dans ces salles, en particulier les esseulés, les solitaires. Nous pressentions en eux, au travers de leur gravité gênée, comme un désir d'entrer dans une matrice collective, où se perdre, certes, mais aussi se retrouver, grâce à l'anonymat de l'ombre et au spectacle de l'écran. Ils allaient s'introduire dans un lieu sombre, où les guiderait, parmi des frôlements et des passages d'inconnus, le rayon lumineux de la lampe d'une *ouvreuse*, personnage d'une sorte de mystère. Il y avait du rite en cela.

Pour la presque totalité des autres importait la publicité du film, telle qu'on l'exposait *à l'extérieur*, sous forme de peintures brutales dominant l'entrée de placards sur les murs du vestibule, de personnages découpés dans du contre-plaqué. En bref, une manière d'iconostase, chargée d'images violentes, résumés arbitraires du spectacle, figures simplifiées de l'action, jusqu'à n'être plus que des symboles.

Après tout, rien ne change qu'en apparence ou qualité. Les paysans de Beauce, accourus à Chartres en pèlerinage, voyaient sculptés dans la pierre, l'Enfer et le Ciel, du temps que l'Église s'entendait à terrifier ou promettre la béatitude, et les tympans des cathédrales, ne l'oublie pas, promeneur, étaient coloriés des tons les plus vifs, comme le furent les temples antiques, devant lesquels pourrissait les viandes des sacrifices.

Ne jouons pas au plus barbare. Il faut mille monstres au préalable, pour que naissent enfin un Apollon ou un Sauveur, de longues tératologies pour qu'apparaissent les figures de la beauté ou du salut, et toutes les marques de l'injustice pour que s'écrivent les signes du pain et du vin, de l'amour et de la paix. Les civilisations commencent par des monstres.

Il n'y a guère plus d'un siècle, dans le Paris romantique, la foule fréquentait au boulevard du Temple, appelé « du Crime », pour les sombres mélodrames que les théâtres y présentaient. « Du Crime », que d'artères, de nos jours, mériteraient ce surnom, au moins pour les images qu'elles en offrent ! Les assassins sont parmi nous, à l'étalage des cinémas, en carton, papier mâché, bois, toile. Jambes écartées, torse étalé, une main sur le pistolet, l'autre dans la cartouchière : les semeurs de graines de plomb dans les plaines stériles, dans les canyons étroits comme le dilemme « Tue ou crève », viseurs exacts, auquels répondent les « tireurs d'élite », justiciers ceux-là, rétablisseurs d'ordre dans de petites villes de planches, où des ménagères à crinoline se dépensent à épousseter le sable soulevé par les cavalcades. Tous, des héros : les uns à l'envers, les autres à l'endroit, selon les termes d'un vieux dualisme.

Ainsi le spectateur entre dans les salles, comme le fidèle dans l'église, entre le Diable et le bon Dieu, l'Enfer et le Ciel. Chacun le sait : la police tire toujours la dernière balle. Une étoile guide la foule. Celle du shérif.

Dans mon adolescence, je ne parvenais pas à me déprendre d'une certaine « planche » du Dictionnaire, ou plutôt d'un des tableaux qui, parmi d'autres, y étaient reproduits.

Son caractère bizarre aimantait mes rêveries, tel un pôle magnétique. J'y revenais sans cesse, dès que les devoirs de l'école m'en laissaient la liberté. Dans les marges indécises qui précèdent le sommeil, il s'inscrivait, ou dans celles qui accompagnent le réveil.

Qui donc était cette femme ? Le peintre l'avait représentée *sur* un cheval, mais ce sujet, qui aurait pu ressortir au répertoire conventionnel ou n'appartenir qu'au commun des images, forçait le domaine de l'insolite, et m'y conduisait, au moins pour ces deux raisons : la cavalière, montée à cru, ne portait aucun vêtement, et elle tournait le dos à la marche de sa monture.

Très lente marche, d'ailleurs, au pas. L'amazone ne pouvait conduire son cheval, ses poignets étant liés. Les mains, entre les deux cuisses écartées, tentaient de cacher le sexe. Un autre personnage menait la bête avec une longe de cuir, tout entier recouvert d'une de ces cagoules sinistres que portent souvent les bourreaux. J'imaginais que défense lui avait été faite de se retourner vers la captive, sous peine de mort.

Ce cortège amer avançait dans la rue d'une ville apparemment déserte ou désertée. Les vieilles maisons à pignons gothiques, avec des poulies pour monter le bois dans les greniers, étaient aveugles, leurs fenêtres obturées de lourds volets, sauf une seule, à peine entrebâillée.

Était-ce la nuit ? J'en avais le sentiment, mais la médiocre reproduction du tableau m'empêchait de l'affirmer. Il semblait pourtant que le corps de la voyageuse s'éclairait de clarté lunaire, dont le caractère lactescent pénétrait la chair, au point que celle-ci paraissait l'irradier *de l'intérieur*, comme si la source lumineuse eût été en elle, et assez forte pour donner du lustre à la chevelure blonde, à son flot désordonné qui s'épandait sur les épaules et caressait les seins.

Que le corps nu de la cavalière fût, à cette époque de ma vie, la cause d'un trouble, nul doute à cela, mais la contradiction qu'opposait la scène à des données « normales » ne provoquait pas moins un dépaysement, un départ vers des zones jusqu'alors inimaginées. Je finis par lier d'un fil unique les mots *nue*, *inconnue*, *nuit*, à les fondre en un seul dont mes parents, m'entendant par hasard le murmurer et ignorant sa cause, se divertirent : *l'inconnuit*.

Le mystère de cette posture, la cavalière dos tourné à l'encolure du cheval, conduite vers un lieu situé à la fois *devant et derrière elle*, m'intrigua, jusqu'au jour que les deux notions contraires d'avant et d'arrière s'abolirent dans le sens que je donnai à l'image.

Le dictionnaire, dans lequel je m'étais borné à la regarder, m'apprit qu'il s'agissait de Lady Godiva, femme de Léofric, comte de Chester et Coventry. Les impôts levés par ce seigneur sur ses populations étaient si lourds et si générateurs de misère que son épouse le supplia de les alléger. Il y consentit, mais à l'expresse condition qu'elle traverserait la ville à cheval et nue. Ce qu'elle fit. Touchés par un tel courage, les citadins décidèrent de s'enfermer dans leurs maisons, afin de ne pas blesser la pudeur de l'héroïne. Le sujet avait inspiré de nombreux peintres.

Cette explication ne put me satisfaire. Elle me parut restreindre à l'anecdote une étrangeté sans commune mesure avec l'Histoire. Je la tins pour nulle, et cet « autre chose » que je voyais, je tentai de le définir.

Les poignets noués de liens, le visage où se découvrait une prostration passive, la chair placée par décret sur le cheval comme sur un chevalet, tout, à mes yeux, parlait de punition. Tournée vers la croupe, la prisonnière l'était ainsi vers le passé, vers le temps d'une faute commise par elle, quelque adultère peut-être. Le guide la menait vers le lieu de l'expiation, sans qu'elle pût le voir. Tout futur lui était interdit. Elle ne devait appartenir qu'à l'accompli. Cette cruauté me faisait mal. J'y trouvais un obscur plaisir.

En moi, le pas du cheval se confondait avec un sourd martèlement, avec une rumeur lointaine et forte du sang. J'imaginais, sur la chair chaude de l'animal, les cuisses blanches et froides...

Comment l'érotisme vient-il, de nos jours, aux garçons ? Nous l'avions découvert dans un vieux Larousse. Aujourd'hui, la Ville est un autre dictionnaire, pardi ! Ses pages illustrées sont au vu de tous, sur le trottoir, jour et nuit. Placards, panneaux, réclames géantes, simulacres de toute sorte ! Sur cette foison, il faut *ouvrir l'œil.*

La cavalière, sensuel tourment de mes jeunes années, eût-elle à parcourir nos rues, je la verrais s'étonner devant les images de ses semblables dévêtues sur les murs, les façades, dans les vitrines et les halls, sous la lumière crue des projecteurs, et s'interroger devant ce déshabillage général, réfléchi comme dans un jeu de glaces, comme si la ville ressassait son plaisir. « *Nus à emporter* », affichait une « sex shop ». Qui, au cours de ses marches, n'en emporte pas dans son regard ? Depuis les femelles gravides peintes sur les rochers de la Préhistoire, provocateurs symboles de la fécondation, après les grandes Mères de la parturition et de l'union avec le cosmos, nous en sommes arrivés à cette montre excitatrice, à cet immense dépôt de corps factices, emportés, rapportés par les marées de l'offre et de la demande, vertigineux alluvionnement. De quoi sont faits les rêves de l'homme...

Nous parlions de boulevards « du crime ». Il en est aussi « du Sexe ». Sur leurs bords, des salles ouvrent des matrices noires. Au vrai, elles n'excluent pas toujours celles de la violence, mais au contraire les unes et les autres alternent, et des meurtres peints aux orgasmes simulés, le chemin est court. Ici, le pistolet. A côté, les lèvres, les gorges, les ventres, les fesses. Colt-ure et cul-ture. Il nous reste à sourire devant cette faute (involontaire ?) de graphie, à la porte d'un cinéma : « Interdit au moins de ses ans ».

Après tout, que s'en blessent certains, n'en déplaise à beaucoup, il y a là une sorte d'art, — le Pop'Art l'a bien compris, ce réalisme de la matière sans matière. Parcourez le Musée le plus long de Paris. Je veux dire : montez le boulevard Sébastopol, continuez par le Magenta, et quand ce dernier rencontre le boulevard Rochechouart, suivez celui-ci jusqu'à Pigalle, passez devant l'endroit où naguère s'élevait le « Gaumont-Palace » — (dans son ventre de proboscidien, on me conduisait, enfant des Batignolles que j'étais, voir non des films, mais des « cavaleries » savantes, des chevaux au frontal orné d'aigrettes et de strass, qui saluaient des écuyères en tutu de crème fouettée, et des « entrées » de clowns rouleurs de tapis, excusez cette escale du souvenir !) — et finissez par un tour de la place Clichy, rotonde de notre « musée ». Chemin faisant, n'accordez votre attention, sérieusement, qu'aux panneaux publicitaires des cinématographes, des fabriques de bas, de soutiens-gorge, de lingeries, de savons, de fards. Ne retenez que cela. Effacez le reste. Composez votre documentaire.

Où sont les gentilles putains d'hier, qui faisaient le trottoir, les jambes gaînées de noir, montées sur de hauts talons, picorant, pour se réchauffer les doigts en hiver, des marrons achetés à quelque proche marchand dont le visage se patinait des reflets de la braise ? L'appel du « suspense » a remplacé l'invite de leurs voix canailles. Le racolage est interdit.

Mais qui donc, maintenant, racole ? L'image.

Voici le truand et le flic, chacun dans son rôle, mais inséparables. La goualeuse de saloon, ses seins au balconet du corsage, comme des fruits de luxe dans la ouate, des angelots de Raphaël au bord du cadre. Le tueur tuant, le tueur tué. La demoiselle ligotée, un bâillon dans la bouche, la terreur dans son regard tourné vers le cinquième étage de la maison d'en face. L'espion (toujours au service des pays de l'Est). Le contre-espion (défenseur des secrets de la Civilisation occidentale : armes perfectionnées, sous-marins nucléaires, bombes atomiques). Les belles droguées aux yeux cernés de vert, les drogueurs aux yeux de fer. Les dresseurs de mort, les redresseurs de torts. Les avortées grises, les avorteurs marrons. Les filles de bonne famille devenues filles tout court sur le chemin de Buenos-Aires ou de Dakar. Les Martiens, sortant de leurs astronefs comme des escargots d'un panier : ils sont parmi nous, chacun le sait, mais invisibles. Les vampires, quittant la nuit leurs cercueils, les crocs déjà dégoulinants d'hémoglobine. La progéniture de Caligari, de Nosfératu, de Dracula, de Frankenstein. Des jambes en l'air, ciseaux parfaits, immenses, pour vanter une gaîne. Des spécialistes du rififi. Des arnaqueurs de grisbi. Des Indiens emplumés. De braves gens plumés — mais attendez la revanche, le cave se rebiffe toujours. Toute la vérité sur l'amour (physique), si vous n'en savez rien. Toute la vérité sur la mort. Faites un inventaire, à la Prévert. Dressez le bilan, sur trois ou quatre kilomètres de long. Et si vous n'aimez pas cela, rendez-vous à Versailles, dans la Galerie des Batailles.

Au demeurant, quelle enfance ! La Ville se paie d'images comme d'aucuns se paient de mots. Les hommes se parquent dans des bâtisses de style pénitentiaire, de grandes Centrales à logement, droites stèles funèbres levées aux banlieues cimetières, mais ils se donnent les espaces de la Prairie et du Far West, et les lointains de la mer, où courent les corsaires, toutes voiles dehors, dans le vent libre. Ils s'entassent dans les métros ou les trains journaliers, mais ils s'offrent, au moins une fois la semaine, la diligence vers l'Ouest, le stage-coach de l'aventure. Les épouses se fanent dans l'eau grise du quotidien, mais il y a les belles incendiaires, les superbes allumeuses de destin. Contre le zéro de l'existence, l'arrivée de Zorro. Contre le morne de tous les jours, les mornes où la flibuste cache ses trésors. Il y aurait tant à faire, si l'on ne faisait pas ce que l'on fait. Tant de vies à vivre, si l'on ne vivait pas ce que l'on vit. Tant à être, si l'on n'était pas qui l'on est... Alors s'établit une sorte d'équilibre entre le poids des jours et les images sans poids.

Sans poids ? Reprenons-nous. Les croire impondérables, c'est se berner. Quel instrument de précision nous dira jamais ce que pèsent un jeune athlète de cinéma dans la songerie d'une ménagère, une séductrice de film dans la rêverie d'un jeune commis, un séducteur d'écran dans les chimères d'un père de famille ? Un tel instrument existerait-il, nous lui devrions de singulières mesures, sans doute des thérapeutiques propres à concurrencer psychanalyses et psychiatries ! Il faut imaginer le pèse-images.

Elles ne naissent pas de rien. Celles-ci, que nos voies urbaines nous donnent à voir, nous les reconnaissons, parce que nous les connaissions. Elles étaient en nous, inertes et mortes en apparence, mais semblables à ces graines dans les déserts, que l'on dirait sèches, mais qui attendent longuement un soudain orage pour germer et devenir plantes. Ces images nous étaient intimes, avant même de surgir et de nous convier à un spectacle. Le billet d'entrée nous ouvre une « salle obscure » qui est d'abord en nous. Il y a retrouvailles. Le vieux fonds d'amour et de puissance sécrète ses fables, puis les fables sécrètent leurs images, et les images procréent de nouveau des fables : la boucle est bouclée, l'éternel retour affirmé.

Peut-être, loin des souvenirs définis, une obscure mémoire de premières marches dans l'étendue du monde tressaille-t-elle à la vue d'un convoi de pionniers dans l'espace américain. Le toit des wagons bâchés a je ne sais quelle courbe de ventre maternel, de berceau retourné. Les Sioux, les Comanches, les Apaches, durs profils d'aigle, lanceurs de flèches et manieurs de tomahawk, reflètent dans leurs attaques toutes les agressions du jour. Seuls seront sauvés ceux qui se battent pour l'or d'une chevelure de vierge !

Ces arcs, ces lames, ces fusils, ces seringues à poison, ces rayons de la mort, ces lasers d'extraterrestres, toutes ces armes, réelles ou fantastiques, constituent le vocabulaire d'un règlement de comptes, d'une revanche par l'imaginaire. Cet attirail d'offensive ne se manifesterait pas de la sorte s'il n'avait à témoigner d'une part de l'homme longtemps dominée, longtemps asservie, et qui veut ainsi *reprendre du poil de la bête*. Un inconscient, rendu malheureux par des monstres, engendre, pour se libérer, des monstres.

A considérer la société d'aujourd'hui, son mépris de l'homme, son exploitation des êtres, son déni de justice et de liberté véritable, la moisson des Anges n'est pas encore mûre.

« Depuis longtemps je me vantais de posséder tous les paysages possibles, et trouvais dérisoires les célébrités de la peinture et de la poésie moderne... J'aimais les peintures idiotes, dessus de portes, décors, toiles de saltimbanques, enseignes, enluminures populaires; la littérature démodée, latin d'église, livres érotiques sans orthographe, romans de nos aïeules, contes de fées, petits livres de l'enfance, opéras vieux, refrains niais, rythmes naïfs... Je croyais à tous les enchantements ».

Rimbaud, que nous citons, avait *déjà* raison. Les bariolages passagers, renouvelés de semaine en semaine, sur les murs de l'illusion, les faces accrochantes de la publicité, les panneaux faits pour que volontairement on y tombe, ne se présentent ni à l'examen de l'esthétique, ni au jugement de la morale. Les images répètent les mêmes visages souterrains de la violence et du désir, parfois de l'amour, la même constante du sexe et de la mort.

Les archétypes aiment le carnaval.

91 RUE ST-DENIS

1 RUE PIROUETTE

ROND-POINT DES CHAMPS ÉLYSÉES

PL
DENFER-ROCHER

TICKETS
PLACE

BAS-RELIEF DE « L'ÉLYSÉE MONTMARTRE »

« SAINTE CATHERINE » RUE FRANÇOIS 1er

MÉTRO RÉAUMUR-SÉBASTOPOL

MÉTRO BASTILLE
SORTIE RUE DE LYON

ton de

MANÈGE DE MONSIEUR BAR
PLACE F. BRUN

CAFE DU SQUA

GARE DE LYON

BUFFET DE LA GARE DE LYON

« Ça, c'est Paris ! Ça, c'est Paris ! »

Ainsi chantait Mademoiselle Mistinguett, voici pas mal d'années, de l'autre côté d'une mauvaise guerre. Sauf erreur, c'était aussi le titre de la revue « à grand spectacle » où elle paraissait en gloire, portée à bras tendus par de beaux garçons en habit, parmi de jeunes personnes aux seins nus. Des affiches, sur les murs, sur les colonnes Morris, la montraient empanachée de tant de plumes qu'aucune autruche n'aurait pu en soutenir le poids. Cela tenait du palmier tropical, de l'exubérance des fougères géantes, des grandes eaux de Versailles. Le corps, en revanche, moulé dans des soies fulgurantes, ressemblait à celui des coléoptères. Rien ne cachait les célèbres jambes, les plus belles du monde, disait-on, assurées pour des millions. N'était-ce pas l'image de la République même ? Une enfant de modeste origine pouvait s'élever jusqu'au triomphe, posséder des « diams », rouler en Rolls.

Tout un peuple reconnaissait sa voix dans ses intonations de « titi » faubourien, dans le timbre rèche tel un petit « blanc » du matin, pris sur le zinc, avant l'atelier ou l'usine, comme il se retrouvait dans la gouaille de son compère, Maurice Chevalier. Les phonographes, dans les bistrots, avec leurs pavillons en corolles de volubilis, leur manivelle coudée, leur diaphragme à aiguille — (« il est recommandé de changer l'aiguille pour chaque face » !) — pleuraient les rengaines à la demande des clients insatiables. *La* « Miss », *le* Maurice, ça, c'était Paris ! A croire qu'il n'en existait qu'un, celui qu'ils incarnaient.

Après tout, pourquoi pas ? Les esprits sérieux, les analystes de la capitale, les archéologues de sa vie, protesteront. D'après eux, Paris est fait de plusieurs Paris, qui se sont agglutinés pour former une seule ville, une et indivisible. Voilà qui n'est guère original, la plupart des métropoles du monde en sont là. Accordons pourtant que la rue Lepic ne ressemble pas à la rue de la Paix, ni la Mouffe au boulevard Malesherbes. Mais il y a des Paris plus Paris que d'autres. Voilà ce que nous soutiendrons, au risque de fâcher.

Pour nous, le Paris parisien n'est pas dans les beaux quartiers. Le vrai Paris est « parigot ».

Il n'est que temps de le dire quand on déparisianise Paris, à coups de tours, d'immeubles en verre et acier, du style réfrigérateur. Le confort, qu'on le veuille ou non, et la science des architectes, tuent la saveur. Le vrai Paris, c'est celui du peuple. Les dés sont jetés, je le sais. Impossible de faire marche arrière. Nous sommes condamnés à vivre dans l'abstrait.

Hier encore, aux Halles, les viandes étaient en plein air, des bœufs écorchés s'ouvraient devant vous comme celui de Rembrandt; les légumes, les fruits débordaient sur le trottoir. Des costauds charriaient sur leurs dos des quartiers de « bidoche », leurs blouses toutes maculées de sang, comme des sacrificateurs. De temps à autre, ils abandonnaient leur travail, pour « s'en jeter un » dans un bistrot, ou pour « monter » avec les filles qui tapinaient dans les rues voisines. Fini, cela. L'hygiène n'y trouvait pas son compte, paraît-il. Les Halles sont poussière. Le génie de Baltard n'a pas détourné les béliers des démolisseurs. Mais, croyez-moi, la saveur ne se met pas sous plastique. Vouloir trop être sain, ce n'est pas sain.

Dans ma jeunesse, féru des théories de l'avant-garde architecturale, je m'indignais contre les vespasiennes, bien que fort aise souvent d'en user. Comment la France, mère des lettres et des arts, pouvait-elle supporter de telles verrues ? L'odeur qui s'en dégageait, surtout pendant l'été, me révoltait. De plus, la forme de ces cassolettes à fragrance d'urine me paraissait hideuse. Je m'en ouvris à l'un de ceux qui nourrissaient pour Paris le plus juste amour, un poète.

Nous étions dans un café tout proche de Saint-Germain-des-Prés, où il avait ses habitudes. Il m'écoutait, amusé de ma fougue, mais désapprobateur, je le devinais. Quand nous sortîmes, je lui montrai, à quelques pas de la terrasse, l'objet de ma hargne. Il ne s'agissait pas, bien entendu, d'un de ces plats urinoirs, parfois réunis dos à dos, ou collés contre un mur, comme au piquet, non, mais d'une de ces vespasiennes monumentales, dont les niches intérieures se cachaient derrière un tablier rond en fer, lequel ménageait un étroit déambulatoire circulaire autour d'un épais pilier médian. Pour savoir si quelque place était vacante, il fallait, avant d'entrer, se baisser et regarder, dans l'intervalle vide entre le sol et le tablier, si des chaussures, des bas de pantalon, ne témoignaient pas d'une complète occupation du lieu. A certaines heures d'affluence, les messieurs faisaient la queue, impatients d'un départ. Tel était ce démocratique confessionnal des vessies.

La vespasienne, que je désignai d'une main sévère, couvait ses odeurs, accroupie sur le trottoir, comme une grosse poule ses œufs. Le poète la contempla, souriant, tendre. « Vous n'y comprenez rien », me dit-il. « Regardez-la. Pour moi, savez-vous ce qu'elle évoque, cette brave et utile personne ? Un château-fort. Elle et ses pareilles en possèdent les principaux éléments. La ceinture de métal qui en fait le tour, seulement interrompue par l'entrée, voilà le rempart. Au pied des urinoirs, il y a de l'eau : les douves. Au centre, une tour qui équivaut à un donjon, coiffée d'un curieux chapeau du genre poivrière, mais en plus tarabiscoté. Vous voyez, rien d'essentiel ne manque. Et nous sommes les seigneurs. Avec l'avantage d'y pénétrer sans qu'on abaisse le pont-levis ou qu'on relève la herse. Tout l'héritage de notre moyen âge ! A propos, savez-vous que Hugo, le père, les appréciait fort ? Lisez ses *Carnets*. Il devait y voir un burg du Rhin ou une forteresse d'Espagne ! Imaginez Hernani sortant de là... Voilà le romantisme de Paris ! »

Après avoir écouté Léon-Paul Fargue (c'est lui qui parlait) je considérai les vespasiennes d'un tout autre œil. Je me pris même de sympathie pour elles, une image les éclairait. Au cours de mes promenades nocturnes, je m'arrêtais pour écouter, dans le silence, le bruit de leur ruissellement, comme celui d'une source. Elles étaient maternelles, toujours prêtes à accueillir le premier passant venu, et fort chastes dans leur vertugadin de métal. Nous entretînmes les meilleurs rapports. Il y eut même de l'intimité, entre quelques-unes et moi, celles-là je faisais parfois un détour pour les retrouver. J'appris qu'un certain Philibert Rambuteau les avait établies, environ 1835. Il méritait bien qu'une rue perpétuât son nom.

Hélas, je dus assister à leur procès. On les accusait de vilenies. Ne servaient-elles pas de repaire à des pervertis, des exhibitionnistes, des voyeurs, des homophiles ? Il fallait en croire les puritains. Les dames surtout avaient une dent contre elles. Pour les visiter, on voyait les messieurs laisser en plan leurs compagnes sur le trottoir. Réservées aux seuls hommes, elles étaient le symbole de l'odieuse suprématie virile, des monuments d'esclavagistes. Et que dire du geste de ceux qui en sortaient, cette façon de se rebraguetter au vu et au su de tous ? Enfin, elles étaient difformes, de vieilles mères noirâtres, des matrones aux dessous mal lavés. Les édiles, d'un cœur léger, décidèrent leur disparition. Il n'en reste plus que de très rares, perdues dans la ville, introuvables, dernières survivantes du grand troupeau de naguère... Ainsi disparaissent les races, et meurt le folklore.

Heureusement, toutes les fontaines Wallace n'ont pas subi le même sort. Si les vespasiennes évoquaient le temps des Croisades et de la Guerre de Cent Ans, ces fontaines suggèrent l'Antiquité grecque et romaine, dont s'inspira le sculpteur Lebourg, élève de Rude, pour les quatre figures qui les ornent, non sans regarder aussi du côté des *Trois Grâces* de Germain Pilon. C'est là un honorable pedigree. En revanche, pour le clocheton que ces dames soutiennent, il est permis de balancer entre le heaume wisigothique et la tiare papale. Toute cette fonte, quoi qu'il en soit, abrite en son ventre un petit jet d'eau, que souvent la brise courbe en aigrette. Ainsi l'allégorie est charmante, qui nous incite à penser qu'il faut beaucoup de pesanteur pour que naisse, tant souhaitée par le cœur, une source...

Sir Richard Wallace était Anglais, son nom et son titre l'indiquent, et philanthrope, les deux qualités ne s'opposant pas. Ce Londonien aimait Paris, à tel point qu'il finit par y mourir. Chez les antiquaires, il cherchait des œuvres de l'art français du XVIIIe siècle, sa préférence, lesquelles entrèrent dans sa fameuse collection. Au cours de ses promenades, il lui arrivait d'avoir soif et de devoir entrer dans un café. Il en tira cette conclusion qu'on ne pouvait boire que moyennant finance, et que les pauvres gens se trouvaient ainsi condamnés à la pépie, sans parler des enfants, auxquels l'entrée des brasseries était interdite. Il offrit donc à la ville une centaine de ces fontaines, dont demeurent seulement une quarantaine. C'était en 1872. Le geste fut apprécié à sa juste valeur, malgré une méchante chanson qui courait les rues :

Devant les fontaines Wallace, lace, lace
Les amoureux s'enlacent, lacent, lacent
Mais les poivrots se lassent, lassent, lassent
Des fontaines Wallace, lace, lace.
Veut nous offrir de l'eau, hélas, las, las
Ce bon Monsieur Wallace, lace, lace !

Néanmoins, l'histoire est jolie. On m'assure que ces fontaines sont toujours choyées par les services municipaux, repeintes et nettoyées quand il le faut. Si ces édicules glorifient le mécénat, encore doit-on savoir qu'ils offrent d'autres symboles, car les quatre cariatides représentent, selon le vœu du généreux Britannique, la Sobriété, la Simplicité, la Charité, la Bonté. De belles fleurs de vertu pour la ville, de belles images arrosées, afin qu'elles ne dessèchent pas, d'eau claire et constante.

Du temps que j'étais étudiant, j'habitais une assez misérable chambre de bonne, à l'extrémité de la rue Saint-Jacques. Pour le déjeuner, un sandwich faisait l'affaire, mais je n'y dînais pas. Le soir, je me rendais à l'autre bout de Paris. Le métro me conduisait à la station « Marcadet-Poissonniers ». Tout près de là vivait un ami italien. Il me nourrissait, pour une somme dérisoire, bien accordée à ma pauvreté, de platées de spaghettis, de macaronis, de canellonis, de toutes les pâtes dues à l'imagination culinaire de sa terre natale. Parfois, il recevait de ses parents un colis de charcuterie. C'était la fête. Je m'en retournais le ventre plein, le cœur joyeux. Tout cela justifiait le voyage, l'interminable chapelet des haltes souterraines.

Près de la station « Marcadet-Poissonniers » (cette alliance de termes m'enchantait !) il y avait un terrain vague, à l'époque. Un manège pour enfants y était installé. Un très petit manège, que tenaient deux vieilles personnes. Pour le mettre en marche, l'homme et la femme appuyaient de tout leur corps sur une manivelle. Après quoi, l'homme seul le manœuvrait, cependant que la femme, sans doute son épouse, tournait celle d'un orgue mécanique. L'un et l'autre, auparavant, réclamaient aux enfants les quelques sous qui leur permettraient de monter sur les animaux de carton-pâte. Si modique était le prix, ils semblaient plutôt demander l'aumône.

Ce manège, au terme de mon voyage en métro, m'attirait autant que les repas de mon camarade, bien qu'il fût, je le répète, pitoyable. A la plupart des chevaux manquait une patte. L'un d'eux avait même perdu la moitié de la tête. Le lion était dépourvu de sa queue, ce qui expliquait son air mécontent. Le carrosse pour petites filles craintives, celles qui ont peur des fauves, ne possédait plus toutes ses roues. La peinture de l'ensemble souffrait d'on ne sait quelle maladie de peau, qui la desquamait. Tard, le manège demeurait ouvert, sans lumière, comme un navire échoué, abandonné de son équipage, puis les deux vieux le couvraient de bâches grises. C'était fini, les enfants dormaicnt, il n'y aurait plus de clients...

Par quoi m'attirait-il, ce manège, sinon par sa misère ? Il semblait être l'image même de ces abandons qui fournissent à la ville le thème de ses chansons, de ces nostalgies dont elle a le cœur gros. Certes, la cité possède de grandes foires, avec de riches attractions : loteries, tirs, aéroplanes volants, montagnes russes, scenic railways, autos tamponneuses, balançoires géantes, trains de la mort, carrousels éclatants aux cochons qui montent et descendent, palais de glaces... Ce sont là, somptueuses, sonores, des fabriques d'oubli. La modestie des petits manèges isolés donne plus de profondeur à l'illusion. Elle nc la sépare pas de la réalité des jours. Les lions, les chevaux, les carrosses, évoquent pour beaucoup de possibles aventures, des existences de rajahs ou d'explorateurs, la fin des fins de mois difficiles, mais les figures passent et repassent toujours au même endroit, comme ces personnages qui sortent des vieilles horloges et marquent le temps.

Voici donc, dans cette ronde d'animaux en carton, de chars en bois, de velours défraîchis, ce que désire le cœur et qu'il ne peut posséder qu'en image...

RUE DE LA CROIX-NIVERT

4 bis RUE PARROT

RUE DE RIVOLI

GARE SAINT LAZARE, COUR DU HAVRE

94 RUE DE LA TOMBE-ISSOIRE

29 RUE DE POITC

BENOIST ET FILS

RUE LÉON FROT

161, RUE ORDENER

MONUMENT ALPHAN, AVENUE DU BOIS

BAS-RELIEF « LES BOULANGERS » - SQUARE SCIPION

La rue des Batignolles, du temps qu'on m'y promenait en me tenant par la main, était, à elle seule, sans qu'il fût utile de la quitter, un village.

Longtemps elle le demeura, sans trop se modifier. Il suffisait de descendre ou monter sa pente, on y trouvait tout ce dont les hommes ont besoin pour la vie, pour la mort.

Les rivières s'élargissent à leur estuaire : elle s'évasait en bas, sur une place en demi-lune. L'église Sainte-Marie tenait le centre. A vrai dire, je n'en ai guère de souvenirs. Les dames de ma famille m'y firent baptiser, quelque deux ans après ma naissance. Mon père se battait du côté de Verdun. L'incroyant qu'il était se serait peut-être opposé à ce qu'il estimait des momeries, bien qu'il fût tolérant, et respectueux des opinions des autres. Mes parentes néanmoins le craignaient. Elles profitèrent donc de son absence pour me faire bénéficier du sacrement. L'entreprise ressemblait à un complot, d'après ce qu'elles m'en dirent; on n'en parlait qu'entre deux portes, à voix basse. Plus tard, elles s'en justifièrent auprès de moi. C'était pour m'éviter l'Enfer, et m'ouvrir, si je le méritais, le Paradis. Ces bonnes âmes se montraient inquiètes de mon avenir éternel.

Pour entrer au Paradis, il fallait, à les en croire,

passer par l'église. Nul autre chemin n'y conduisait; de bien grands hommes, cités à titre d'exemples, qui ne posaient pas aux esprits forts, eux, avaient emprunté celui-là. Je le crus longtemps, car derrière l'église était le jardin public, l'Eden, si l'on préfère, un lieu tout de galopades et de rires. On devait longer ses murs pour y parvenir. Aucune preuve plus décisive ne me fut jamais donnée du séjour bienheureux, ni de l'utilité de la foi. Et si par la suite le Paradis me parut un leurre, c'est que je n'allais plus jouer au square.

Le Paradis figurait encore sur les cases des marelles, mais cet amusement n'était bon que pour les filles. Je l'avais perdu. L'enfance aussi.

Au contraire de l'église, le square des Batignolles n'a jamais abandonné ma mémoire. Ces souvenirs-là datent, il est vrai, de l'époque où j'étais un jeune garçon, que l'on conduisait au cinéma de la rue de la Condaminc ou dans les salles de la place Clichy, lorsqu'il le méritait. Or, je n'étais pas trop mauvais élève. Les films tenaient une grande place dans ma vie, comme dans celle de mes camarades. Le jardin en fut transformé. Par suite d'une dérive précipitée des continents, l'Amérique vint rejoindre le XVIIIe arrondissement. Je vais dire comment.

Nous étions distraits, dans nos jeux habituels, par des touffes de fumée qui montaient soudain à l'horizon. Nous savions ce qu'elles signifiaient : les Indiens entraient « sur le sentier de la guerre », ils nous en avertissaient par ces feux de prairie. Nous nous précipitions en poussant des cris épouvantables, réveillant les nourrices assoupies, laissant derrière nous les vains « Surtout ne t'éloigne pas ! » des mères inquiètes. Nous foncions, bride abattue, vers l'endroit où s'élevait la fumée tel un arbre blanc, et en cours de route nous nous métamorphosions, de pionniers nous devenions Sioux, et Sioux nous attaquions le train... qui passait en contre-bas, dans la tranchée de Saint-Lazare ! Ce n'était pas un train quelconque, d'ailleurs. C'était celui qui emportait ses voyageurs vers Le Havre, vers les bateaux, vers l'Océan, vers l'aventure.

Ainsi l'Amérique venait elle aux garçons de mon âge, dans un remuement où la tartine du goûter surnageait comme un radeau, où les fiers trappeurs coudoyaient Charlot, Buffalo Bill et Tom Mix l'invincible, parmi des charrettes bâchées, des Ford arachnides, plus hautes sur leurs pneus maigres que des faucheux sur leurs pattes.

Que peut être l'Amérique pour les enfants d'aujourd'hui ? Je suis retourné au square des Batignolles... La fumée des trains ne suscitait plus d'émoi, car elle avait disparu, les anciennes locomotives ayant été remplacées par des locomotrices sans cheminée, carrées et closes comme des boîtes de conserve. Sur un banc, deux garçons disputaient de l'avenir des recherches atomiques, gravement, vieillots. J'allais repartir, mélancolique. Soudain, je fus bousculé par une violente cavalerie : des cow-boys, champions de rodéos, poursuivaient des voleurs de bétail, hurlant ces « whoopee ! » à quoi l'on reconnaît les professionnels. Tout n'était pas perdu. Le dernier modèle d'automobile, le dernier disque de jazz, le dernier film psychédélique, même les exploits des astronautes, n'avaient su, le ciel en soit loué, reléguer définitivement au magasin des accessoires la berline de la Vallée de la Mort, ni étouffer le cri lunaire du coyote que les Pawnees imitent si bien, moins encore effacer, sur les espaces du Far West, le paraphe magistral du lasso... La légende résistait.

Parlons sérieusement. J'ai assisté plusieurs fois à des attaques de train par les Peaux-Rouges.

Assisté ? C'est peu dire. Trois fois, je me suis trouvé dans un convoi qu'ils attaquaient. Ils profitent toujours de l'étroitesse d'un canyon, du ralentissement de la locomotive dans une côte des Rocheuses, on doit ouvrir l'œil. Chaque fois, je me conduisis avec héroïsme et désintéressement. J'ai fait le coup de feu, avec les autres. Un jour, je fus blessé par un Indien : il avait escaladé le wagon sans qu'on le vît, et il tirait de là-haut. Je perdais mon sang. Il y avait heureusement un docteur parmi nous, ancien repris de justice, soit dit en passant, mais qui serait pardonné pour sa noble conduite. Comment m'opérer en de telles circonstances, sans anesthésie, sur le ballast couvert de neige ? Je dénudai mon épaule, demandai au praticien d'extraire la balle, sans hésiter. Ce qu'il fit, ouvrant ma chair à vif. Je serrais les dents, pas une plainte ne sortait de ma bouche. La cicatrice ? Disparue. Mais quand le temps est humide, cette vieille blessure se rappelle à moi... Nous étions des hommes, alors.

Donc, je me battis contre les Indiens. Pour les rencontrer, j'avais manifesté un courage non moindre : apprendre ma table de multiplication. A cette seule condition, mon père me conduisait au théâtre du Châtelet. Pour assister au *Tour du monde en 80 jours*, d'après Jules Verne, je devais savoir le résultat de sept par neuf, de huit par six. Ah, vive plutôt le scalp, les poteaux de torture ! Aujourd'hui, la table de multiplication m'échappe souvent, je compte sur mes doigts, je l'ai oubliée, tandis que je n'omets rien des aventures de Philéas Fogg, et je plains ceux qui savent mieux leurs mathématiques et leurs opérations que les traverses rencontrées par le Britannique imperturbable.

Ceux-là, simplement, ignorent où se trouve la vraie multiplication.

Ce n'étaient là, dira-t-on, que voyages et exploits inventés. Ils ne nous paraissaient pas tels. Ce qu'on vit vraiment n'appartient pas au domaine de la fiction.

Il m'a fallu céder à l'appel des souvenirs, pour dire ce que les squares de la Ville, comme celui des Batignolles, offrent aux enfants : des images, certes, mais des images qui ne les quitteront pas, et survivront même, alors que les témoins chers de leur enfance se seront enfoncés, eux, dans la terre du silence...

Mais je reviens à de plus jeunes années, et à ma rue.

Vers le milieu, à quelques pas de la Mairie, presque en face des Pompes Funèbres de la maison Roblot — ne vous avais-je pas assuré qu'on y trouvait tout ce qui est nécessaires aux étapes de l'existence ? — se tenait la boutique de Madame Désiré.

Madame Désiré était crémière. Son nom ricochait dans les conversations de la famille, toujours sur le mode laudatif. L'accord se faisait sur ses vertus. Il était convenu qu'elle vendait les meilleurs fromages du quartier, peut-être même de Paris. Lorsqu'elle avait tâté de son pouce un camembert et déclaré qu'il était « à cœur », personne n'eût osé la contredire ni choisir un autre. Sur la table, d'ailleurs, le fromage révélait la justesse du diagnostic : Madame Désiré avait eu raison, elle avait toujours raison. Quant à ses œufs, ils semblaient pondus de l'instant, à croire que Madame Désiré élevait des poules dans l'arrière-boutique de sa crémerie. Ainsi possédait-elle le mérite de réunir en son commerce deux qualités rares, auxquelles l'âme aspire non moins que l'estomac : la fraîcheur et la maturité.

Pendant les heures creuses de l'après-midi, lorsque la clientèle vaquait à ses occupations, Madame Désiré prenait l'air devant sa porte. Ma mère échangeait avec elle des propos sur le temps jadis ou sur le temps présent. L'enfant que j'étais ne les écoutait pas. Il était trop préoccupé par un mystère. Pour tout avouer, j'étais fasciné par la poitrine de la crémière.

Sous sa blouse de travail, toujours d'une blancheur sans tache, se gonflait, à la hauteur des seins, un demi-cylindre parfait, large comme deux mains d'homme, sa convexité naturellement vers l'extérieur. Que cette personne au corps opulent bénéficiât d'une généreuse poitrine, voilà qui m'eût semblé dans l'ordre des choses, mais il ne s'agissait pas de cela. Cette forme semi-sphérique ou cylindrique, comme on voudra, d'une importance exceptionnelle, devait avoir son utilité. J'en vins à penser que c'était une sorte de poche, ou plutôt de garde-manger. Madame Désiré y mettait, sans nul doute, ses fromages à mûrir. Voilà qui expliquait leur qualité. Rien n'est savoureux, concluai-je, qu'on ne le porte longuement sur son cœur.

Madame Désiré, un peu plus tard, décida d'adjoindre à la vente des produits laitiers et avicoles celle de certains fruits et légumes. Un de ses parents les cultivait en province. Il les lui expédiait encore frais de rosée, tout emplis de l'air pur des campagnes. Un jour, elle exposa, devant sa vitrine, sur un petit tréteau, en pleine rue, des potirons. Plus précisément, des moitiés de potiron, car l'étal où elle les posait était trop étroit pour qu'ils pussent y tenir entiers.

La lumière se fit en moi : la poitrine de Madame Désiré n'était pas une resserre à fromages, mais une cloche à demi-potirons, dont elle épousait la sphéricité. Comment avais-je pu me tromper si sottement ? Les fromages, surtout le livarot et le camembert, quand ils sont à point, dégagent une odeur non négligeable. Or, la crémière sentait toujours bon. Les cucurbitacées me fournissaient la clef du problème. J'en éprouvais une grande joie.

Les potirons soudain disparurent. J'interrogeai mes parents. « Voyons », me dirent-ils, « il y a une saison pour eux, comme pour les fraises, les framboises ou les châtaignes. La leur est passée, tu n'en reverras pas de sitôt ». Que toute chose fût ainsi fugace m'emplit d'abord de mélancolie, puis je repris courage lorsque je revis Madame Désiré. Allons donc ! Que me disait-on ? La forme de sa poitrine n'avait pas changé. C'est donc que les potirons continuaient d'exister. Ils se cachaient pour quelque hivernage, comme les marmottes. Bientôt nous les verrions reparaître.

J'éprouvai, grâce à Madame Désiré, de la confiance dans ce que les grandes personnes appelaient la vie.

La devanture de notre crémerie s'ornait, à gauche de l'entrée, d'un panneau qui en tenait la hauteur et devait être large, si ma mémoire ne l'amplifie pas, d'un mètre environ. C'était une peinture sur glace ou sous glace, je ne me souviens plus. On y lisait, en lettres dorées, sur fond noir, la raison sociale :

BEURRE FRAIS
LAIT ET FROMAGES
ŒUFS DE FERME
Mme DÉSIRÉ, PROPRIÉTAIRE

Ces mots s'entouraient de lignes gracieuses qui serpentaient, se nouaient et dénouaient, puis, lassées d'un tel exercice, s'enroulaient sur elles-mêmes. Entre la seconde et la troisième ligne s'ouvrait un ovale. Un artiste anonyme y avait représenté un paysage de nos campagnes. On y voyait une ferme, ombragée de grands chênes, près d'un ruisseau propret, qu'enjambait un petit pont de planches, avec une rambarde de rondins. Sur le devant, une paysanne en robe rouge et tablier blanc, un bonnet tuyauté sur la tête, lançait à la volée des graines à tout un peuple de poules et de poussins, qui se bousculaient. Seuls ne participaient pas à cette goinfrerie un coq assez distant, et un chien assis sur son derrière. Au loin paissaient des vaches, sous la garde d'un jeune garçon.

Cette peinture était pour moi une source de satisfactions. Je commençais alors à bien lire, mais il me semblait toujours — et il me semble encore, je crois — qu'entre les mots lus et les choses qu'ils signifiaient s'interposait un écart, *une différence*. Je n'en étais pas encore au point où les mots remplacent les choses, hélas. Celles-ci me paraissaient résister à ceux-là, manifester une mauvaise humeur à laisser leur matière, leur poids, leur vie se résumer en quelques lettres, à des syllabes. Cinq lettres pour désigner une fleur ou trois pour un âne, voilà qui ne tenait pas compte, à mes yeux, de la couleur et de l'odeur de la première, ni des braiments du second. Je flairais une supercherie. Il me fallut par la suite y participer, puisque je décidai de devenir écrivain.

Devant la peinture qui ornait la boutique de Madame Désiré, ce sentiment d'une différence, je ne l'éprouvais pas. Tout au contraire, il y avait une liaison directe entre les choses et les mots. Ceux-ci n'étaient plus des intermédiaires, des signes abstraits. Ils ne faisaient qu'un avec les réalités visibles. Ainsi l'expression *Œufs de ferme* se transformait en évidence grâce au spectacle des poules avides de grain dans la cour de la ferme, et ces poules trouvaient leur expression, par réciprocité, dans les trois mots. Il en allait de même pour *Beurre frais, Lait et Fromages*, puisque des vaches étaient toutes proches dans le pré. Quant à Madame Désiré, on aurait pu la toucher de la main sans cesser de lire son nom. L'intervalle se comblait entre ce qui désigne et ce qui est désigné. Les mots étaient les choses, et les choses, les mots. Le monde se révélait, dans cette peinture, sans mensonge ni tromperie.

Puisque les arbres de la rue se reflétaient dans ceux du paysage, se mêlaient à eux, les épousaient, liaient leurs branches aux branches représentées, il fallait croire que là se trouvait la vérité. Les mots peuvent ne pas mentir, pensais-je, s'ils se confondent avec les êtres ou les objets, et ne s'en séparent pas. J'ignorais alors que cela veut une grâce, et si je le sais aujourd'hui, c'est pour regretter sa rareté.

La *Boulangerie-Pâtisserie des Batignolles*, en bas, sur la place, était incomparablement plus riche en images de ce genre. Pour la bonne raison que sa devanture ne pouvait se comparer à celle de la boutique de Madame Désiré : plusieurs vitrines étaient nécessaires afin d'exposer les gâteaux, les tartes, les boîtes et sachets de bonbons, les pâtés en croûte, les ramequins, les vol-au-vent, les pièces montées factices, modèles de celles qu'on commandait pour les anniversaires, les mariages, les premières communions, les noces et banquets. De ce fait, le vocabulaire était plus nombreux, sa richesse naissant toujours d'une gourmandise.

Entre chaque vitrine, si le souvenir n'embellit pas trop les choses, il y avait donc une de ces glaces historiées, décorées de scènes à personnages. En certaines se mirait la façade de l'église Sainte-Marie, qui s'y ajoutait comme une meringue ou flottait tel un blanc d'œuf battu en neige. On y suivait, épisode par épisode, le roman du blé.

D'abord, ses semailles, le grain jeté dans des champs bien peignés de sillons — et l'on ne manquait pas d'attirer mon attention sur « le geste auguste du semeur », en quoi se reconnaissait l'esprit de la République, mère de l'instruction pour tous, laïque et obligatoire. Ensuite nous attendait le printemps, les champs étaient verts de toutes les espérances. Après quoi, nous débouchions dans l'été. Seules les tiges du premier plan étaient soigneusement dessinées, le reste se noyait dans la fusion d'un jaune éclatant, vibrant comme l'air surchauffé au-dessus du sol. La terre, telle Danaë, recevait sa pluie d'or. Venait ensuite la moisson, le temps des javelles, des brassées de céréales sur le bord des sillons, et des femmes commençaient de les lier en gerbes. Parfois, à l'écart de ces travaux, un couple d'amants s'embrassaient, promesse d'une autre récolte. Enfin apparaissaient les batteurs avec leurs fléaux, dans une brume de poussière topaze. Des ânes sortaient d'un moulin, avec les sacs de farine. Il advenait que plusieurs scènes fussent montrées ensemble sur le même panneau, comme on voit, dans les peintures religieuses du moyen âge, côte à côte, les épisodes de la vie d'un Saint, sa naissance, ses miracles, son martyre, et sa résurrection.

Le résultat de ce labeur était à l'intérieur du magasin. Des ménagères en sortaient avec un pain fiché dans un cabas, des ouvriers avec une miche dans laquelle il fait bon trancher, des enfants qui déjà grignotaient le croûton. De la sorte, les images et les mots, la vie et les vocables, comme chez la crémière, loin d'être désunis par un vide que l'on comblait avec les artifices du langage, témoignaient de leur union, à la façon de ces jeunes couples qui montrent dans leur enfant la preuve de leur amour.

Imaginez mon plaisir, lorsque Robert Doisneau me montra ses photographies de peintures semblables à celles de mon enfance !

Il offrait à mes yeux des images d'images, comme il vous convie à les regarder. Cueillies un peu partout dans la Ville, elles composent la galerie de ses appétits, de ses soifs, de ses rêveries. Elles introduisent, parmi les maisons grises, des grâces champêtres, des bocages galants, des oiselleries forestières, des guérets où passent des chasseurs avec leur chien, sous l'œil d'un lièvre narquois.

Si merveilleusement touchantes que soient certaines, elles ne demandent pas à l'Art d'être une victoire de l'homme sur le destin, la seule qu'il puisse remporter sur l'adversité, ni la preuve qu'il peut laisser la marque de son passage. Elles sont les simples portes que les hommes de la cité ouvrent sur des saisons, des jeux, des espaces, sur ce qui est chichement mesuré par la vie quotidienne. De là, leur charme, et que ce charme se teinte, même dans les scènes heureuses, d'une pointe, pour le moins, de mélancolie. Non, il ne s'agit pas de « Musée imaginaire ». Si j'osais, je parlerais, à leur propos, d'un musée « réalitaire ».

Au demeurant, les images ne sont pas ici séparées de leurs hommes. Il y a même un compagnonnage qui est souvent concubinage. Voyez. Un sultan possédera-t-il jamais harem plus libidineux que celui dont s'entoure le lit de fer d'un docker de la rue Mouffetard, et saurait-il jouir du plaisir de fumer une « Gauloise » en contemplant des demoiselles en effigie, que l'imagination prive de leur plus intime lingerie : tout l'érotisme commence par le regard.

Autre décor, en contraste avec le précédent : celui d'une loge d'un grand couturier, où se maquillent de jeunes femmes. Cette fois, des cartes postales, des chromos parlent d'idylles, de couples pudiques et tendres, de fleurs, d'enfants, et l'on entend bien qu'amour est ici synonyme de toujours. Dis-moi de quelles images tu t'entoures, je te dirai qui tu es, qui tu voudrais être... Leur imprimeur s'appelle désir.

RUE DES PETITS-CHAMPS

15 RUE VIEILLE-DU-TEMPLE

QUADRIGE DU GRAND PALAIS

FONTAINE DE L'OBSERVATOIRE

7 RUE FIZEAU

50 RUE DE LYON

49 RUE ST-ANTOINE

PLACE DU CARROUSEL

RUE STE-ANNE

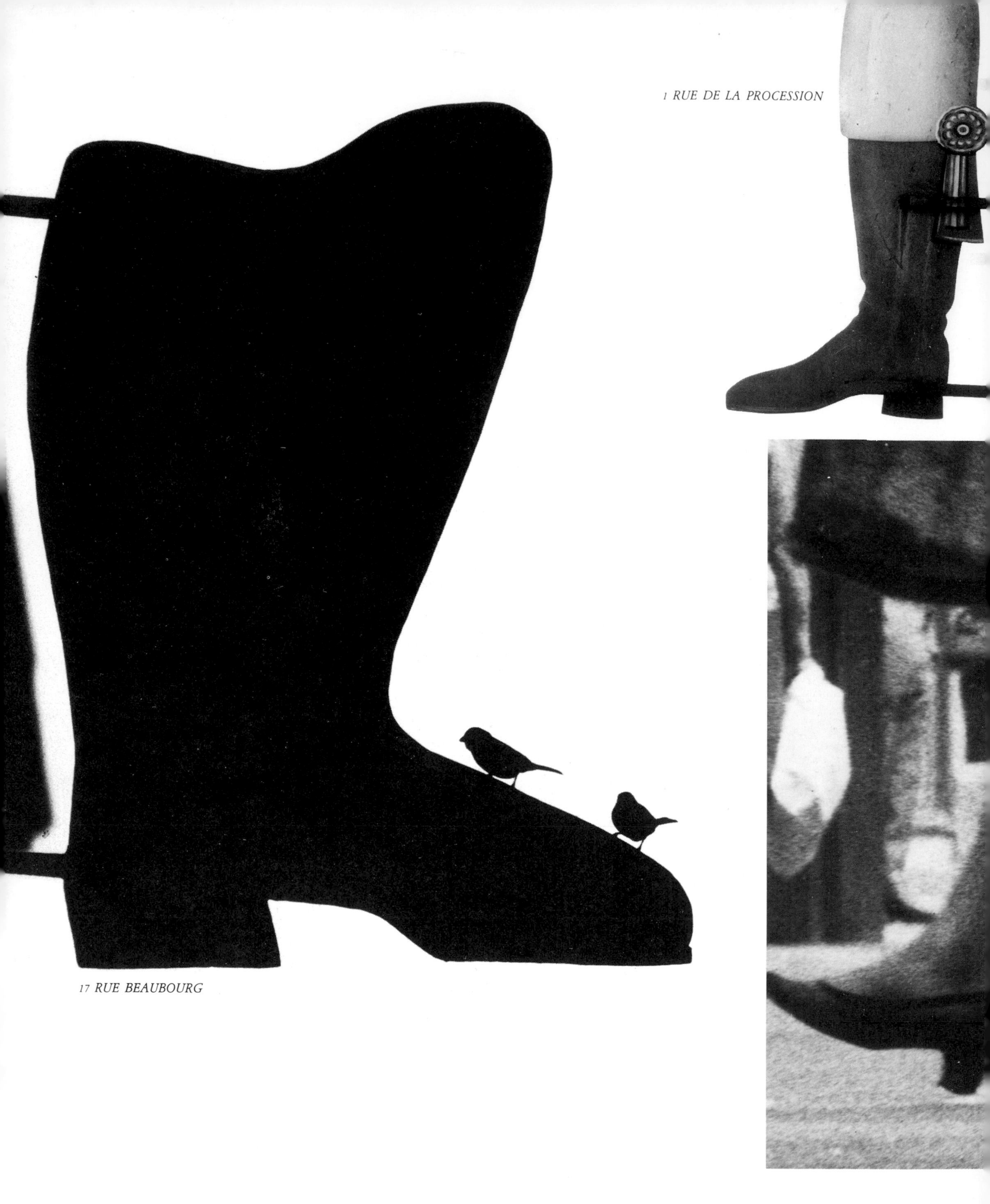

1 RUE DE LA PROCESSION

17 RUE BEAUBOURG

10 RUE DU PERCHE

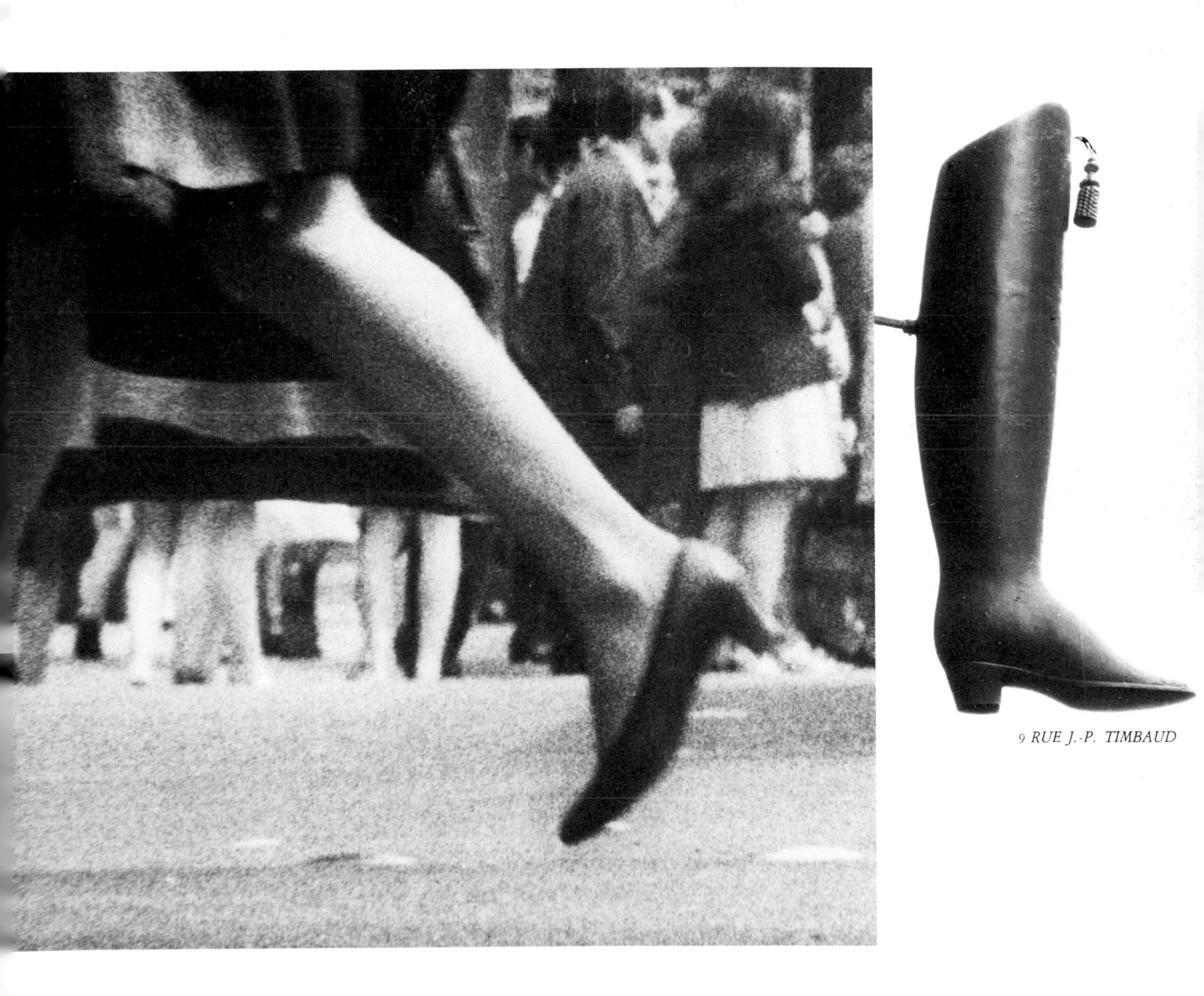

9 RUE J.-P. TIMBAUD

208 RUE RAYMOND-LOSSERAND

7 RUE CHARLE

30 RUE BROCHANT

155, RUE DE CHARONNE

FONTAINE DE MARS, RUE DE L'EXPOSITION

BOULEVARD ST-GERMAIN
1932

Nous avons connu la Ville lorsque des chevaux y tiraient des charrettes, laissant tomber derrière eux des crottins de velours jaune, où picoraient, à la sauvette, des moineaux. Les chevaux de chair ont disparu. Ceux qui restent sont plus hygiéniques : de bronze ou de pierre, ils ne laissent plus tomber que des crottes d'histoire. Cela ne fait pas l'affaire des moineaux. Leurs folles cervelles vivent dans le présent, non dans le passé. S'ils avaient su, ils l'eussent étudié, le passé plein de chevaux, et même appris le règne des Rois, toujours représentés à cheval, alors que les Présidents de la République, eux, on les voit à pied. C'est beau la gloire équestre, mais ça ne nourrit pas son moineau.

Le patron de la boucherie chevaline est plus heureux. D'abord, il vend de la viande de cheval, le lundi surtout, quand les autres boucheries sont fermées. Ensuite il aime les courses de chevaux. Il ne manque pas un tiercé. Le cheval, on le voit, est un animal qui rapporte.

Le boucher met une tête de cheval dorée au-dessus de l'étal où il débite des biftecks de cheval. Il décore sa devanture avec des peintures qui montrent des chevaux de course au galop. Ils ne valent pas ceux de Marly, à l'entrée des Champs-Élysées, ni les destriers qui se cabrent sur le toit du Grand Palais, c'est vrai ! Mais les chevaux peints de la boucherie chevaline sont comme de pieux ex-voto. Le patron les a mis là pour remercier le dieu Cheval de lui faire gagner sa vie et celle des siens. Grâce à la viande de cheval et aux courses de chevaux. C'est logique.

Le vénitien ambassadeur Ambrosio Cennini, dans un rapport à la Sérénissime République, proclamait au XVIIe siècle que Paris était la ville d'Europe la plus riche en enseignes et « breloques de commerce ». Il donnait une liste de titres hautement pittoresques, qu'il faudrait reproduire. Nous nous contenterons, pour mémoire, de rejoindre les Mousquetaires sous le panonceau du « Petit Bacchus », ou sous l'écu du cabaret « A la Pomme de Pin ».

Néanmoins, quel vent a donc soufflé pour emporter toutes les enseignes ? Quelle tempête nous en a privés ? Il n'en reste plus que de très rares. Doisneau les a photographiées, un peu comme on photographie un malade, avant qu'il ne nous quitte. Au vrai, ce ne sont pas des métaphores, mais des définitions : un fusil pour les armuriers, une clef pour les faiseurs de clefs, un gant pour les marchands de gants, des ciseaux pour les spécialistes du ciseau, des lunettes pour les lunettiers, etc.

Un « type d'emploi », comme on dit au théâtre, a pourtant la vie dure. C'est le Nègre. Il faut dire qu'il engendre, chez beaucoup, la bonne humeur. Le clown Chocolat, dans ma jeunesse, faisait rire petits et grands, avec son compère Footit. Il en demeure quelque chose. « Moi, bon Nègre ! Toi, bon Blanc ! » Les seigneurs du colonialisme permettaient ces privautés, ce qui ne les empêchait nullement de battre le nègre s'il élevait la voix, et de l'envoyer au front, en première ligne, comme chair à canon. Un magasin de la Ville a pour enseigne un « bon petit nègre » nu sous une chemise. Cette chemise est changée une fois par semaine. Ce qui montre clairement que le blanc est plus blanc lorsqu'il est *porté* par un nègre...

Pour avoir perdu ses enseignes, la ville a souffert d'une hémorragie d'images.

Et si nous n'étions fidèles qu'à des images ?...

Ce fut une chance, pour les hommes de ma génération, ceux qui ont dépassé les tropiques de leur vie et s'acheminent vers le froid des pôles, une chance, oui, d'avoir connu la ville lorsqu'elle était lisse au regard, horizontale. Alors ses modestes hauteurs, la butte Montmartre ou la « montagne » Sainte-Geneviève, les proches élévations de Saint-Cloud ou du Mont Valérien, se haussaient en elle ou autour d'elle à seule fin qu'on pût voir, de leurs éminences, son horizontalité. Celle-ci n'était en rien platitude, ni monotonie. L'écolier pouvait, dans sa rédaction, comparer la cité à un corps de chair étendu sous le ciel le plus complice. Paris prenait modèle sur son fleuve, qui descend à peine du pont de Charenton au Point-du-Jour, car il faut du temps pour l'amour.

Des clochers, des tours y saillaient, mais les plus illustres étaient encore des observatoires de l'horizontalité. Effaçait-on par la pensée la flèche postiche de Viollet-le-Duc, la cathédrale se présentait en bonne grosse grange trapue, tout emplie du foin des messes, précédée de deux tours comme des silos, et il en allait de même pour d'autres églises, attachées, eût-on dit, à ne pas crever l'espace. Les rois avaient édifié leur palais en longueur, parallèle aux rives, juste assez haut pour les dominer, sur l'exemple des barges ou des chalands. Les Champs-Élysées montaient en pente douce vers l'Arc, dont les triomphes inscrits sur la pierre, Ulm, Austerlitz, Wagram, soutenaient un démocratique balcon où s'accoudaient les visiteurs, s'enlaçaient les amoureux, au-dessus des batailles tombées dans la rumeur uniforme de la ville, montrant ainsi que l'histoire ressemble en définitive à ces tufs et ces terrains sédimentaires qui offrent, d'ères révolues, l'empreinte d'un fossile, la volute d'une ammonite. De l'empereur lui-même, nulle tour colossale ne perpétuait la gloire bruyante, le pas de ses légions sur le sol d'Europe. Il reposait sous un dôme guère plus grand qu'une cloche à melon. La ville aimait la grandeur, mais préférait la traduire avec modestie, bien accordée au génie national, celui de la litote, du dire moins pour suggérer le plus, et se refusant à couvrir d'hyperboles les marges du ciel.

Pouvait-il en être autrement ? Paris se composait de villages réunis. Enceinte de la France, la capitale s'agrandissait, choisissant le mot juste, d'arrondissements. Qu'on ne m'oppose pas, pour me contredire, la tour de M. Eiffel ! C'était le clocher de tous les clochers, dont elle copiait la forme, sans négliger pourtant de se carrer sur quatre pattes solides, comme font les animaux de labour. Le poète Guillaume Apollinaire ne se trompait pas non plus lorsqu'il la comparait à une bergère attentive au troupeau bêlant des ponts. De toute façon, la Tour avait le double pouvoir de célébrer de toutes ses poutrelles tricotées les travaux d'aiguille des demoiselles, et les bas à résille des danseuses de cancan. Elle personnifiait ainsi la messe du dimanche à l'aristocratique Saint-Honoré-d'Eylau et les jambes levées de Tabarin ou du Moulin Rouge, la pieuseté, la galanterie. Il fallait aussi que la Ville dressât un monument à cet « esprit de pointe » dont jadis parlait M. Blaise Pascal, et qui était son esprit même. La Tour, d'ailleurs, était transparente, nasse à nuages, et non masse. Elle condamnait l'opacité. Elle ne portait pas bedaine.

Quel chemin avons-nous pris ? D'autres tours ont surgi, ne cessent de surgir, opaques celles-là, d'une arrogante laideur pour la plupart, brutes d'acier ou de béton, lourds miradors d'un univers concentrationnaire, glaciaires allégories des divinités du fric, géants bétyles de la connerie. Qu'on les réunisse et les parque aux sorties de la ville, où elles pourraient s'organiser en nouvelles villes, soit, cela répondrait à la « nécessité », et peut-être en résulterait-il une autre beauté, qui n'apparaît pas encore dans ces conglomérats de la neurasthénie et du suicide. Mais planter ces blocs dans la chair tendre de la ville ancienne, c'est clouer son âme à des poteaux sans couleur ni mesure. Curieusement le XXe siècle réinvente des plésiosaures, des diplodocus, de quoi mettre en fuite ses moineaux. Veut-on de Paris faire une singerie maladroite des villes américaines ? Nous ne sommes pas l'Amérique. Nous ne le serons jamais, faute de Texas ou de Middle West, et parce que persiste en nous un vieil amour des taches de lumière, des coins d'ombre, des ruelles, des patines, des retraites, du secret. Nous avons eu le génie de Mansart, mais non moins celui des mansardes, à la fenêtre desquelles fleurit un géranium, pend une cage à oiseau qu'on rentre à la fraîcheur de la nuit. Nos pluies sont lentes, nos soleils dépassent rarement les limites de la civilité. Nous aimons l'aventure, peu la violence, peu la domination. Ce n'est pas au passé que nous nous accrochons avec la volonté du désespoir, mais à un présent encore vif, avec la force de l'espoir. Du moins, dans ce livre, nous souhaitons en avoir donné des images, en désirant qu'elles soient, pour le procès en violation d'humanité qui s'instruira quelque jour, des *pièces à conviction*.

Si la saveur disparaît, par quoi la remplacerez-vous ? Répondez, destructeurs.

Parmi les photographies de Robert Doisneau, me laissent songeur celles qui relatent, dans une fonderie, la génèse d'une statue. Au premier épisode, le moule est prêt, comme une matrice. Il attend le métal qu'on y injectera. Au deuxième, une croûte informe apparaît, enveloppant l'œuvre. Au troisième, la gangue est brisée, l'effigie se montre. A l'épisode suivant, il reste à la polir. Cinquième étape : la statue est dans un jardin de la ville. Comme par hasard, il s'agit non du « Penseur », ainsi qu'on l'appelle, mais de l'homme s'efforçant à la pensée, réfléchissant à ce que peut être cette force soudain découverte, ce continent à peupler... Pouvait-on montrer mieux que la pensée résulte de la main ouvrière comme de l'esprit créateur ? De l'artisanat comme de l'art ? Après quoi s'ouvre la rêverie sous les arbres, la giration des jours et des nuits, l'alluvionnement des regards... Ailleurs, sur une autre page, le déclic de l'obturateur capte un symbole. On aime à voir que « la Liberté enchaînée » de Maillol prend place devant le palais des rois. Pour la dresser, il faut la poigne du peuple. Ses seins, ses cuisses, son ventre, tout est puissance en elle. Elle n'avance pas sur un lit d'hommes abattus comme celle que peignit Delacroix. Elle est la Mère, la fécondée, la fécondante, la génitrice. Ses seins de bronze sont les cloches des insurrections. Quand nous le voudrons, les chaînes qui la retiennent se briseront, de ses deux bras délivrés elle embrassera ses amants, elle relèvera les morts. La Liberté est toujours la certitude de la Liberté. Malgré les temporaires échecs, la seule certitude.

Y aurait-il une justice ? Des statues sont dans la vie : celle de l'*Hommage à Paul Cézanne* peut servir à la bonne humeur de soldats en goguette, et provoquer la tendresse d'un manœuvre qui sut la riper à sa juste place. D'autres connaissent de plus mélancoliques fatalités. Chues en disgrâce, on les emporte non dans les charrettes des exécutions capitales, mais dans des camions vers les « réserves » crépusculaires des dépôts, les caves et les hangars de l'oubli progressif, les « enfers » où elles s'entassent, se disloquent, se délitent, s'empoussièrent, sous la menace d'une casse finale. Les discours des inaugurations devraient apprendre aux citadins les jeux involontaires de l'humour. Il nous faut apprendre que le « génie » ne repose que sur un seul pied, sur une colonne, en fragile équilibre, s'il ne témoigne pas des profondeurs de l'homme, des constantes du peuple, d'un mystère hors de l'histoire.

Ceci n'est pas un conte, mais une vieille fable, avec sa morale.

De villes humaines et harmonieuses, le monde ne manque pas. Il en est de plus altières que Paris, de plus resserrées sur leurs trésors, de plus monumentales. D'aussi savoureusement quotidiennes, portant mieux les faiblesses de la vie jusqu'à les muer en élégance et force, je ne crois pas. Paris ne se satisfait pas de l'admiration. Elle réclame, cette ville, la complicité dont nous avons parlé, et le sentiment qu'elle a sécrété sa forme et son être comme les hommes sécrètent leur vie, jour à jour, à mesure de leurs expériences, de leurs échecs, de leurs réussites, dans l'inconstance des heures, la permanence du destin. Qu'est-elle donc, sinon images, images, images...

Encore faut-il ajouter qu'on y aime, souffre, espère, car elle est non moins la ville qui n'a jamais accepté d'être asservie, la liberté y brûlant aux carrefours. On perdrait les yeux de l'âme à ne pas voir s'y lever les hautes foules justicières, celles des hommes contre les Bastilles, celles de la Commune, qui se firent abattre sur les barricades de Belleville ou de Ménilmontant, celles du Front Populaire, celles de la Libération, celles qui courent vers les frontières menacées ou au secours de la justice injuriée, ou suivent en pleurant le corps d'un poète, le cercueil d'une chanteuse qui chantait l'amour.

Nous n'aurons jamais fini de découvrir, dans cette cité, la vérité des hommes, à condition qu'elle soit préservée.

Max-Pol FOUCHET

QUAI
DES TUILERIES

SQUAR
D
VERT-GALAN

FONDERIE RUDIER-MALAKOFF

JARDINS DE MUSÉE RODIN, 77 RUE DE VARENNE

JARDINS DES TUILERIES

JARDINS DES TUILERIES

QUAI
DES TUILERIES

JARDINS DES TUILERIES

PLACE DE L'ALMA

PLACE DU CARROUSEL

FONTAINE NIKI DE ST-PHA ET TINGU

DÉPÔT DES ŒUVRES D'ART DE LA VILLE DE PARIS, 9 RUE LAFONTAINE

RÉSERVES DU MUSÉE D'ART MODERNE

Cet ouvrage achevé d'imprimer le 10 avril 1986 pour le compte des Editions Messidor a été tiré sur les presses de l'imprimerie Sadag à Bellegarde. Maquette de Robert Doisneau et François Féret. Texte composé en Garamond corps 18. Photogravure simili réalisée par la Sadag. Impression sur papier couché mat Périgord.

Numéro d'impression : 1938
Dépôt légal : 10 avril 1986